宅在甜點裡の

羊毛氈 Q萌小動物

sweet for you

大風文創

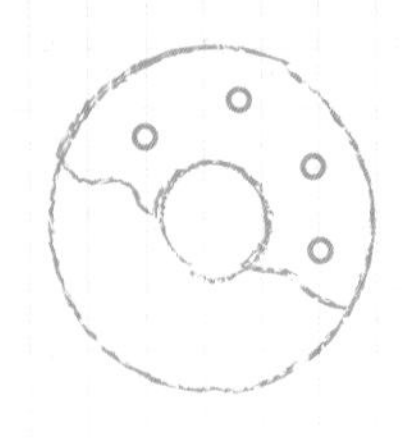

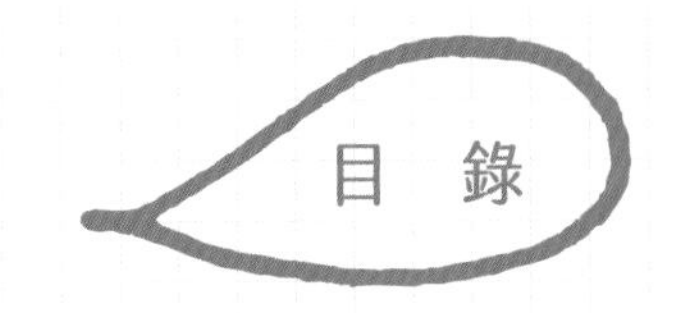

目　錄

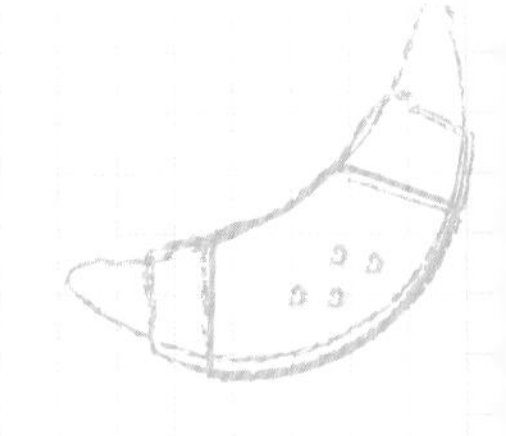

Chapter 1

宅在甜點裡的可愛動物

在這個世界，大家都「喜歡甜點」，而且時時刻刻都要和甜點膩在一起，對牠們來說，甜點就是夥伴、是歸屬感，生活在這裡的動物們，外界統一稱呼為「甜粉」。

可愛動物們的相遇

毛在甜點裡

在這個世界，大家都「喜歡甜點」，而且時時刻刻都要和甜點膩在一起，

對牠們來說，甜點就是夥伴、是歸屬感，生活在這裡的動物們，

外界統一稱呼為**「甜粉」**。

因為有喜歡甜點這個共同點，只要不破壞自己最愛的甜點，

每種動物基本上都能和平相處。

然而有一天，以「懶主義」至上的角角，
發現自己的牛角麵包不小心被自己抓壞了，
只得出門採買新的。

角角邊緩慢地走著，邊四處張望，卻在路上發現一隻因為背著蛋糕卷，所以走得很慢的松鼠小乙，天性使得角角追了上去，就在飛撲到小乙身上的那一刻，小乙嚇了一大跳，不小心鬆開了手，蛋糕卷就這麼彈飛了出去。

蛋糕卷飛了好長一段路，
正巧砸到了準備去游泳池的歐文，
歐文被這天外飛來的蛋糕卷嚇得不輕，
一不小心把手中的甜甜圈拋了出去，

最後竟然把躲在樹蔭下乘涼的奶油身下的水果塔砸壞了！
這四隻動物的生活突然在這一天環環相撞在一起，
後來的牠們又會擦出什麼火花呢……？

角色介紹

characters

- 生日：1月23日
- 星座：水瓶座
- 性別：男
- 個性：淘氣有趣
- 興趣：喜愛追劇、看電影，各種類型都有涉獵，最喜歡倚靠在牛角麵包上，邊看電影邊吃零食。

生性調皮懶散，貫徹身為一隻貓的特點，常會有突如其來的點子，有一雙很會察言觀色的眼睛，在團體中相當有存在感，特色是微笑時上揚的嘴角，雖然臉蛋圓潤，但是迷人可愛，很有魅力。

角色介紹

characters

＼松鼠／

小乙 ＋ 草莓蛋糕卷

- 生日：7月13日
- 星座：巨蟹座
- 性別：女
- 個性：膽小怯弱愛哭，但有顆樂觀的心
- 興趣：探索草莓口味的美食，是一個小有名氣的美食部落客。

雖然是隻松鼠，卻有著像兔子的球狀尾巴，總覺得和自己的同類長得不一樣，所以天天黏在蛋糕卷旁邊，偽裝自己有大尾巴，生性愛哭，但是哭完就會重新振作，偶爾和同伴聚會才會吃橡果，最愛軟嫩多汁的草莓，房間的擺飾都是草莓圖案。

角色介紹

characters

- 生日：10月12日
- 星座：天秤座
- 性別：男
- 個性：紳士又熱情
- 興趣：曬太陽和玩水，但是一定要坐在甜甜圈上面，陶醉在甜甜的香氣之中，看起來總是在度假。

對於西洋的一切都高度欣賞，有一顆對流行事物的好奇心，會多國語言，且持續學習中，常在游泳時遇到國外觀光客，口頭禪是「這看起來很有趣欸」，樂於交友也很會照顧人，有點愛炫耀。

角色介紹

characters

- 生日：9月7日
- 星座：處女座
- 性別：女
- 個性：憨厚不善交際
- 興趣：邊趴在水果塔上面，邊假裝自己是甜點的一部分，呆萌的臉看起來總是在睡覺。

大部分的時間都很安靜，一開始不容易親近，熟了之後才發現牠其實非常多話，內心有一個小宇宙只和自己的朋友分享，討厭曬太陽，怕熱也怕自己會融化，因此不敢靠近瓦斯爐，卻練成了電鍋廚藝達人。

甜粉的

O 演技大考驗 X
喜
怒
角角
歐文
哀
睡
小乙
奶油

Chapter 2

故事開始——相遇那天

這四隻動物的生活突然在這一天環環相撞在一起，
—— 後來的牠們又會擦出什麼火花呢……？

淘氣貓角角今天也慵懶地躺在
牠心愛的牛角麵包上面，
結果因為一直懶得剪指甲，
一 不小心就把牛角麵包抓壞了。

「糟糕，看來只好
勉強出門去買
一個新的了……」

角角邊緩慢地走著，

邊四處張望，

發現前方似乎有個有趣的東西。

「欸前面那個蛋糕卷，
等等我！」

喵嗚~

一不小心，

松鼠小乙的蛋糕卷就這樣飛啊飛，

正巧朝要準備去游泳池的汪星人歐文飛去。

「嗷嗚⋯⋯」

汪星人歐文嚇了一大跳，

一個失手就把手裡的甜甜圈拋了出去。

噭嗚～

而甜甜圈竟然直直飛向了

正躲在樹蔭下乘涼的

奶油熊的位置！

喵星人角角、松鼠小乙、汪星人歐文、奶油熊

這四隻動物的生活突然在這一天環環相撞在一起，

後來的牠們又會擦出什麼火花呢……？

Chapter 3

可口的甜點、俏皮的動物及羊毛的鬆軟——
—— 用雙手交織出溫潤的手作時光。

手作小日子！戳出屬於你的甜粉

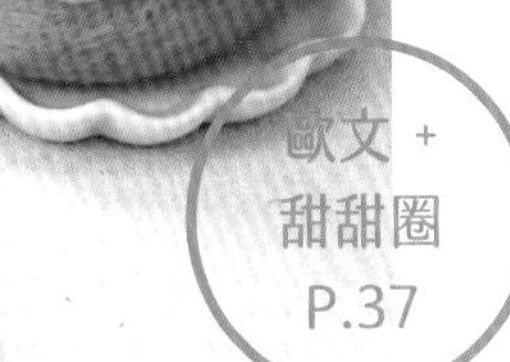

奶油 +
水果塔
P.43

小乙 +
草莓蛋糕卷
P.31

羊毛氈工具介紹

/ 羊毛氈專用戳針 /

戳針的前半部經過特殊處理，有細小的倒刺，在反覆戳刺的過程中，如鉤子般將羊毛纖維連結在一起，形成氈化。

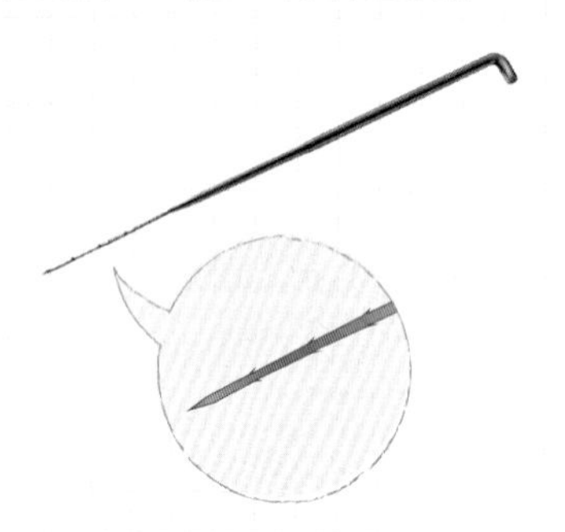

/ 珍珠泡棉工作墊 /

為避免戳針在戳刺羊毛時斷裂，以工作墊做為羊毛和桌面的緩衝。(也可以用海綿或毛刷代替)

羊毛氈針法介紹

深針（塑形）

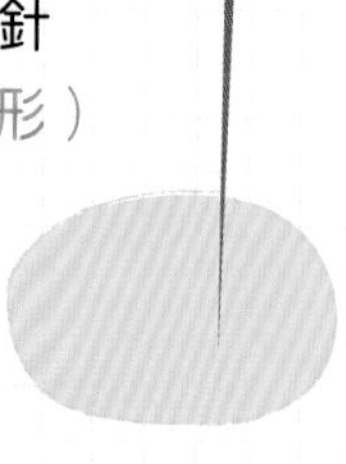

約戳至作品3/4的深度

淺針（修飾）

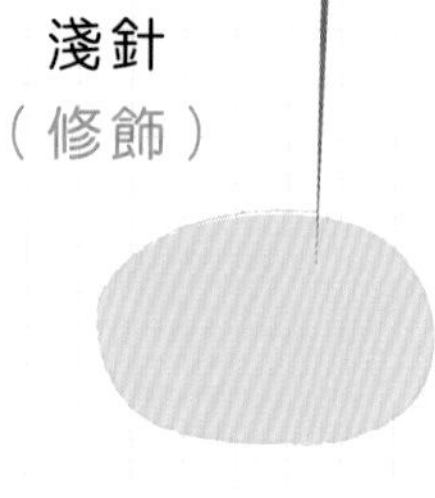

約戳至作品1/4的深度

斜針（接合）

斜角戳刺做接合

避免斷針：戳刺時戳針保持直進直出、斜進斜出，避免凹折。

若斷針，請務必將針取出用廢紙包覆後再丟棄，避免受傷

淘氣貓角角
+牛角麵包

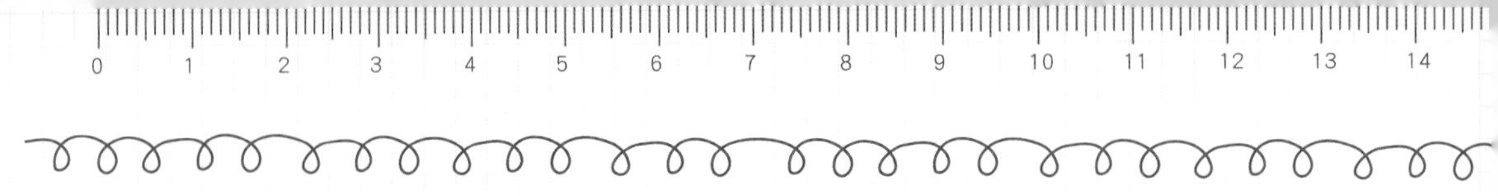

牛角麵包

淘氣貓角角

原寸比例

版型與完成後的成品大小比例為1:1，
製作過程中可一邊比對圖例一邊調整大小。

牛角麵包

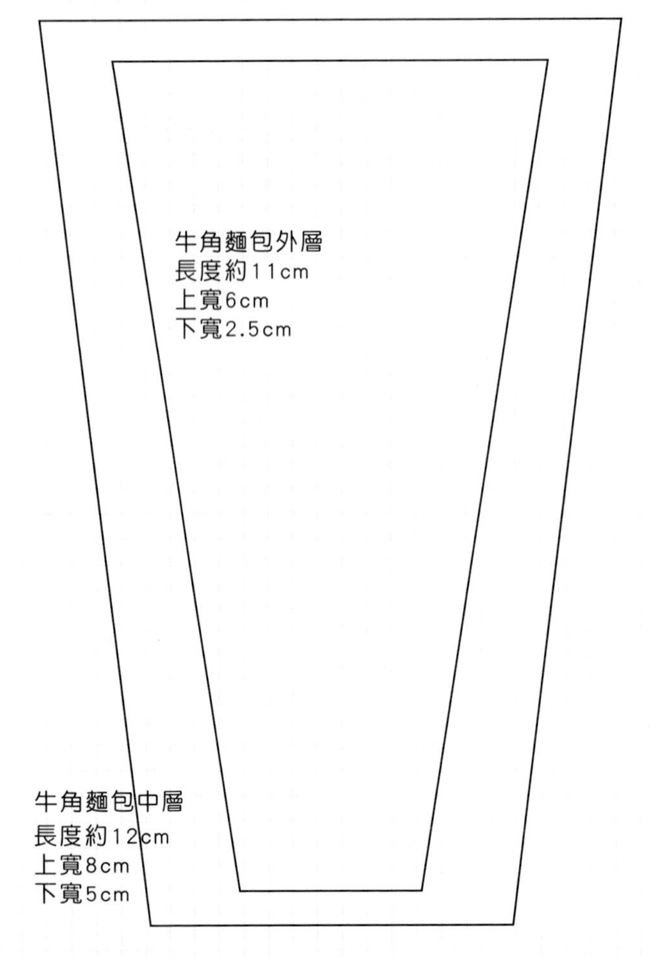

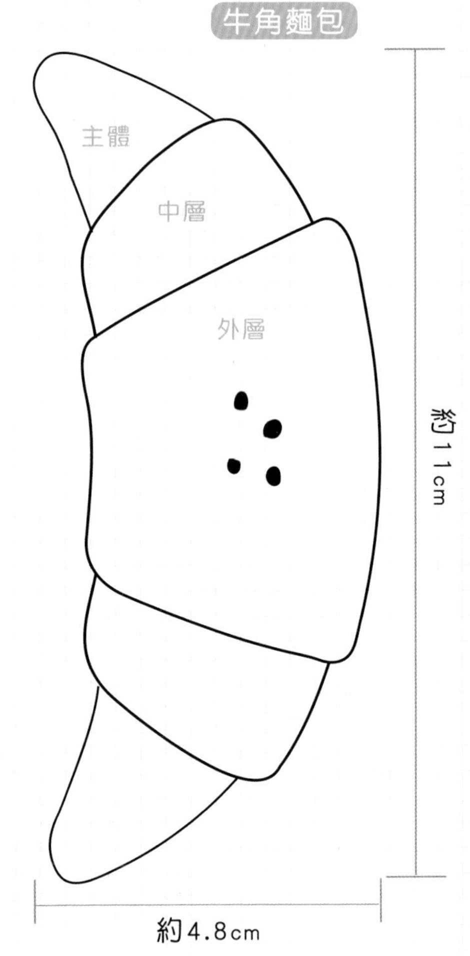

(羊毛長度測量尺)

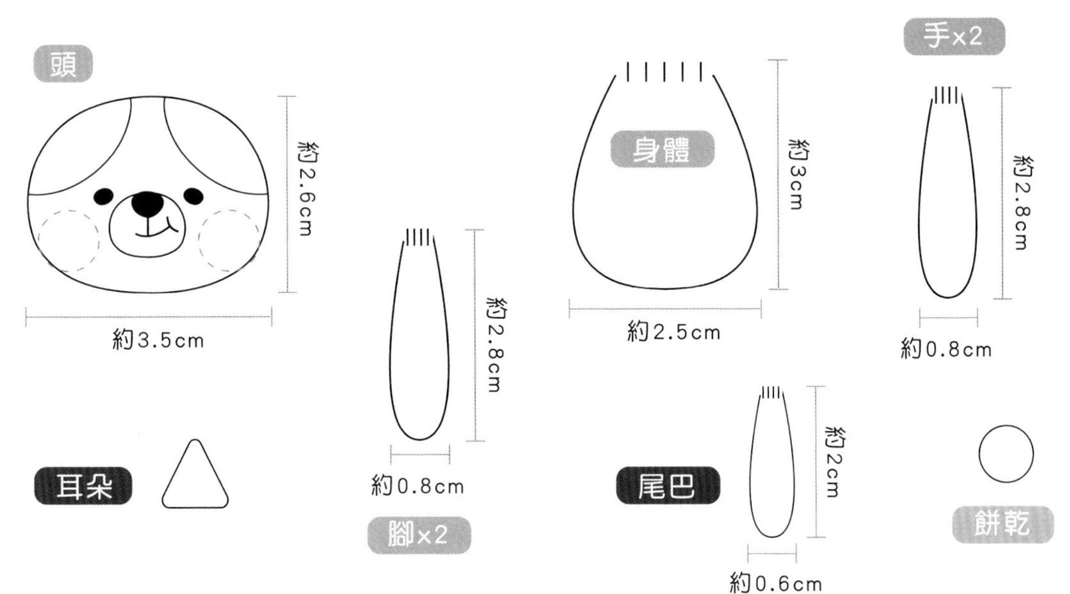

完整影片教學

跟著步驟一步步完成吧！

(完成尺寸因個人力道不同而有所差異)
(製作前，建議先將毛量依部位分配好，戳起來會更順手呦！)

麵包主體

1 取奶黃色羊毛，平均攤平成約牛角麵包的寬度

Tips：須預留一些奶黃色毛做其它部位和補毛修飾用

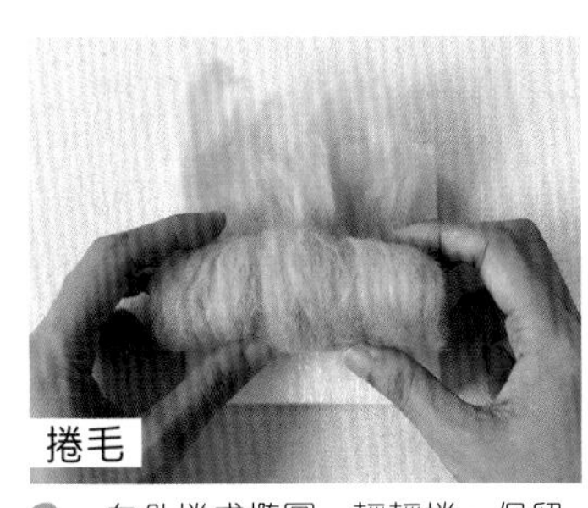

2 向外捲成橢圓，輕輕捲，保留麵包蓬鬆感

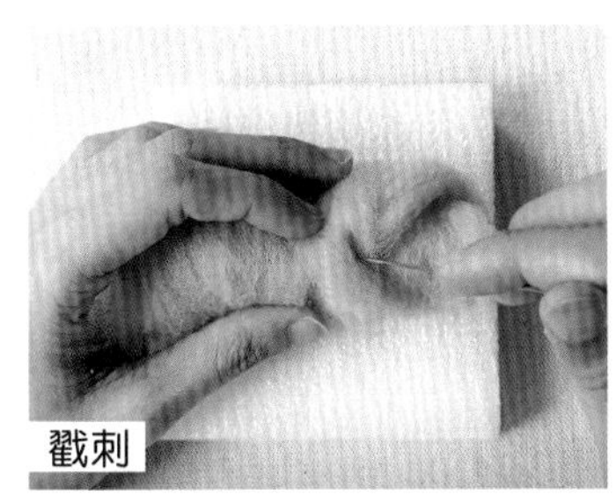

3 收合處先戳幾針固定後，以深針戳刺塑形，一手轉動羊毛一手戳刺，平均氈化

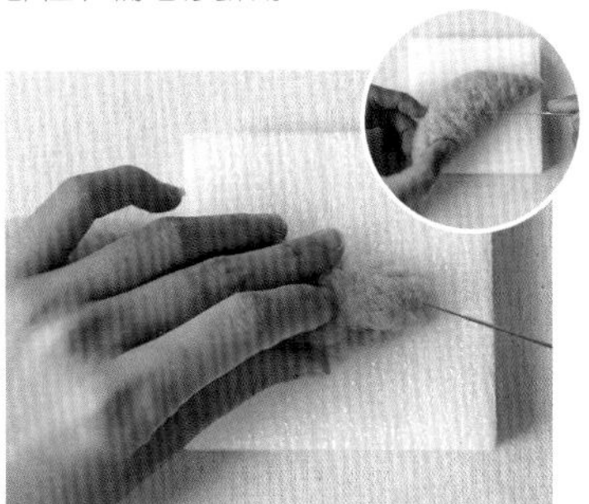

4 兩端可先戳刺氈化成尖角，中間不用戳太硬，保留鬆軟手感

Tips：過程中可少量補毛增加厚度

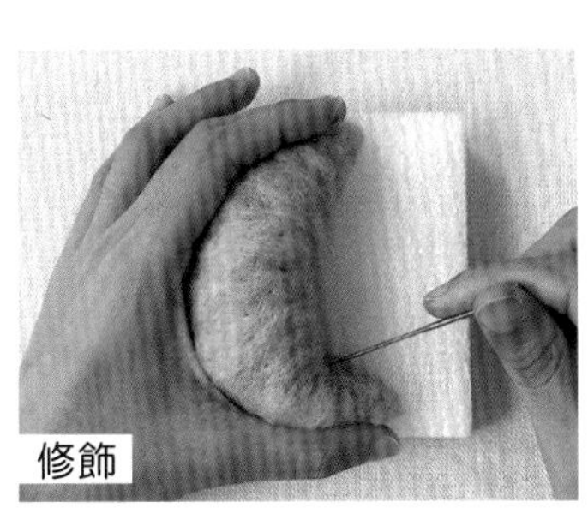

5 依手指弧度戳出彎月形，形狀固定後以淺針修飾氈化表面

Tips：減少深針戳刺，維持外酥內軟的蓬鬆感

中層

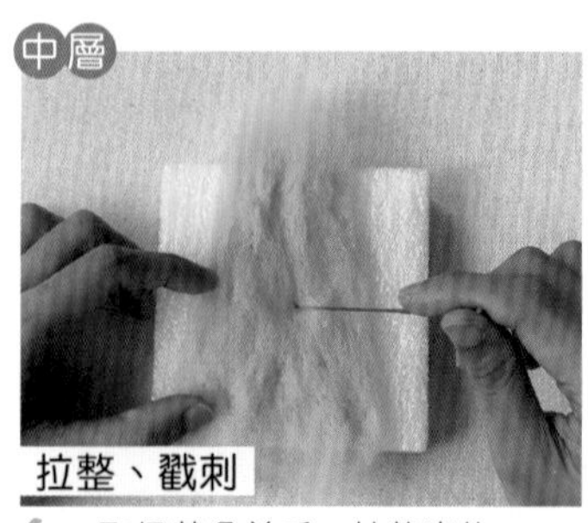

6 取奶黃色羊毛，拉整出約12cm長梯形，戳成薄片狀

Tips：兩邊須預留鬆鬆的毛待接合

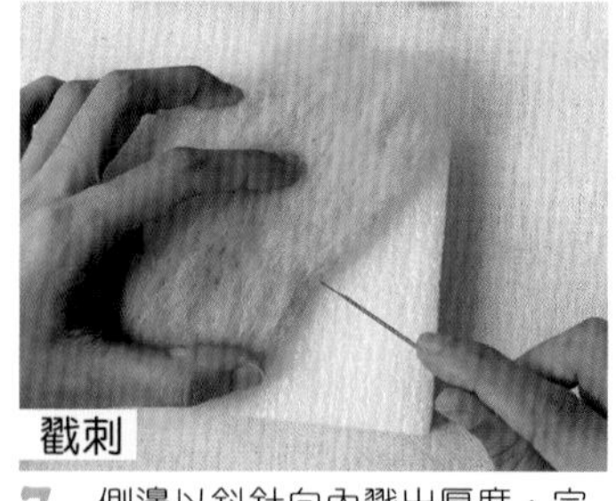

7 側邊以斜針向內戳出厚度，完成寬度請參考原寸比例圖

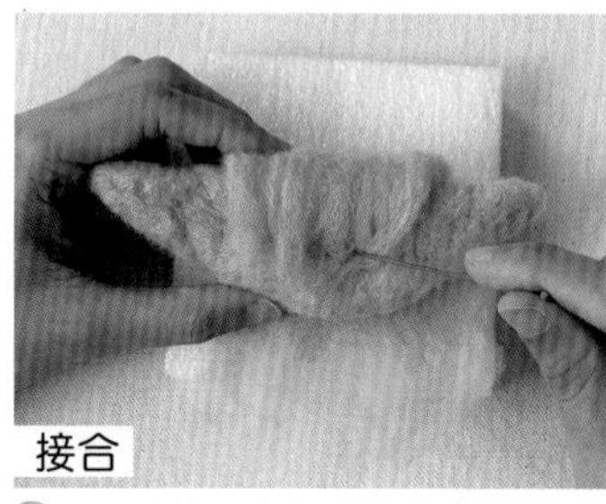

8 將薄片置中包覆在主體上，底部以斜針戳刺做接合

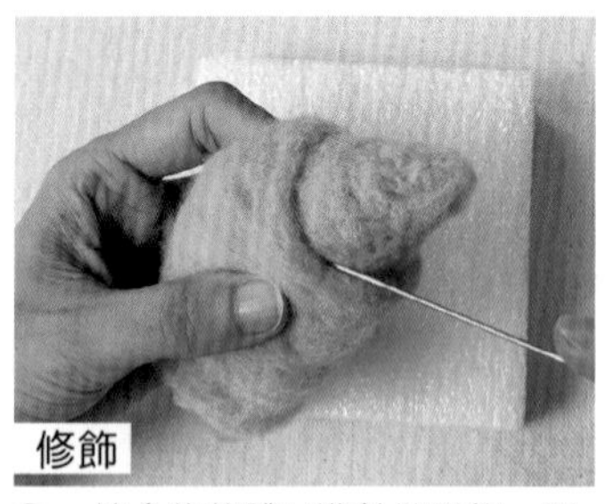

9 接合後整體以淺針做修飾，側邊用斜針向內戳刺修飾出厚度

Tips：保持鬆軟的手感

外層

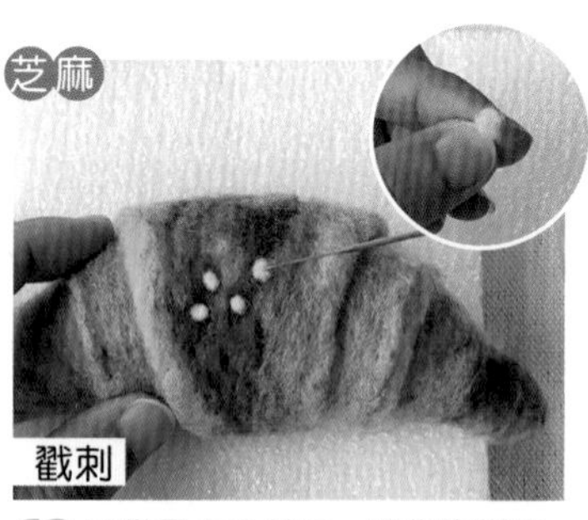

10 取奶黃色羊毛，拉整出約11cm長梯形，同牛角麵包步驟6～9的做法

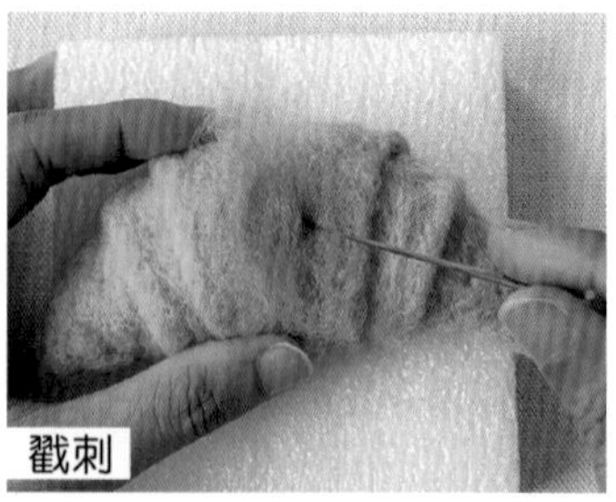

11 取微量棕色羊毛，薄薄的鋪在表面，以淺針戳刺做出烘烤的層次感

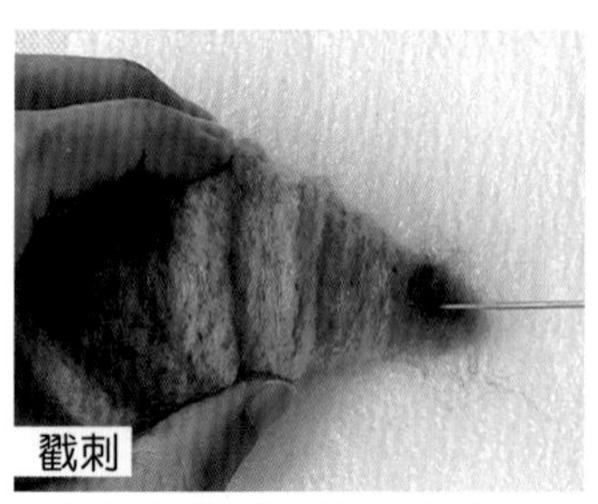

12 取微量咖啡色羊毛，鋪在牛角表面和邊邊，以淺針戳刺做出烤焦感

芝麻

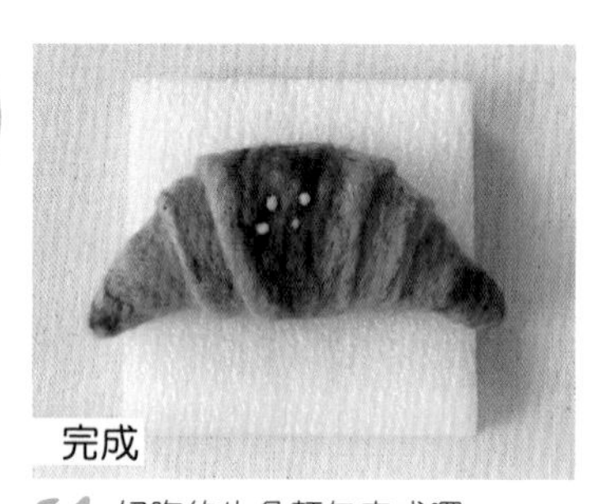

13 取微量白色羊毛，用指腹搓揉出幾顆小球後，直接戳在牛角麵包表面

14 好吃的牛角麵包完成囉

淘氣貓角角

頭部

1 取白色羊毛，邊捲邊把兩側毛往內收，捲出橢圓形

Tips：須預留一些白色毛做其它部位使用

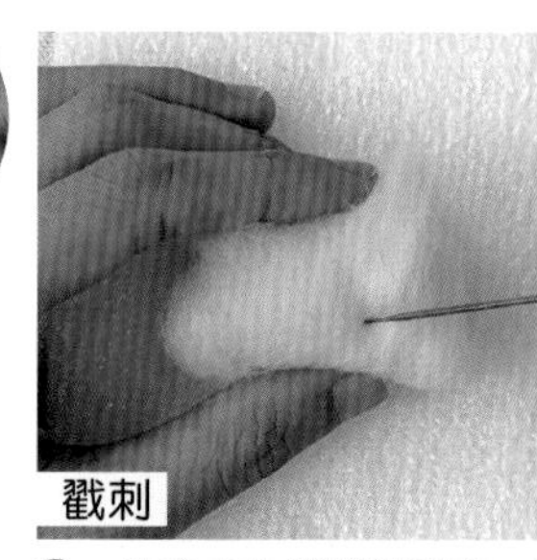

2 收合處先戳幾針固定，再以深針戳刺塑形，一手轉動羊毛一手戳刺，平均氈化

Tips：毛捲緊一點，可加速氈化的時間，也較好預估氈化後作品大小

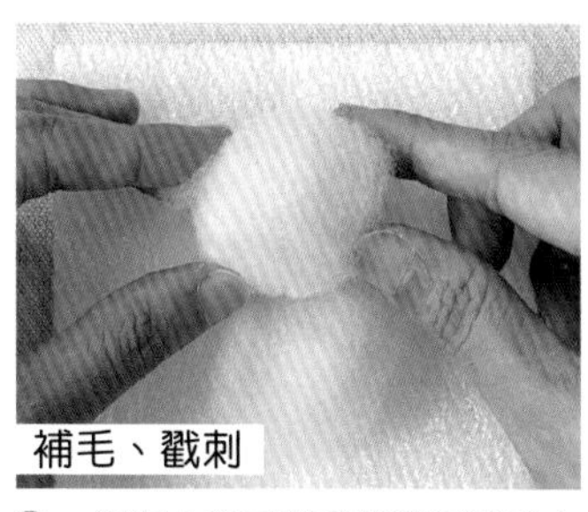

3 過程中都可補毛戳刺至適當大小和硬度

Tips：頭部可以戳硬一點，五官戳上去才不會塌陷

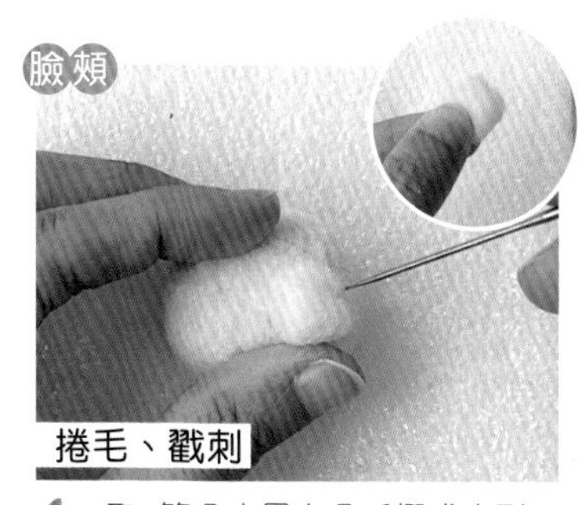

4 取2等分少量白色毛摺成方形，放在臉頰位置，以斜針戳刺做出兩側鼓鼓的臉頰

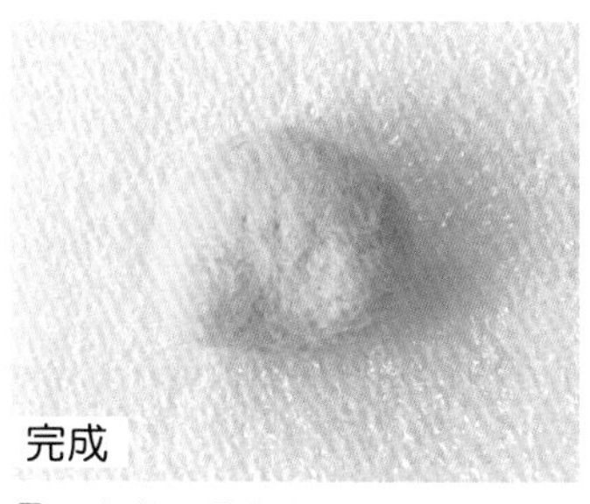

5 完成可愛的臉頰

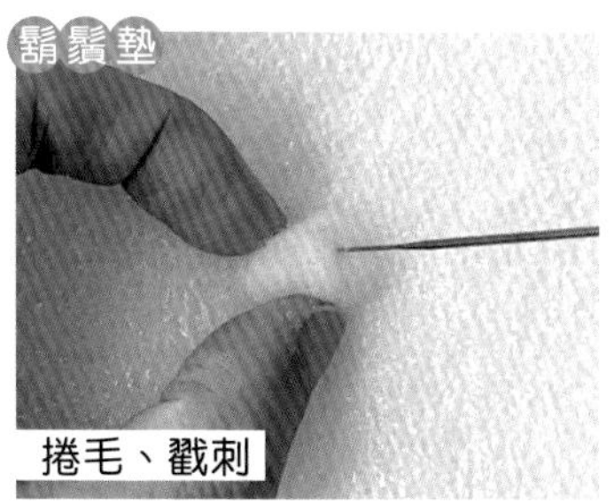

6 取少量白色羊毛，戳成一個小圓

Tips：鬍鬚墊可戳硬一點，鼻子、嘴巴戳上去才不會塌陷

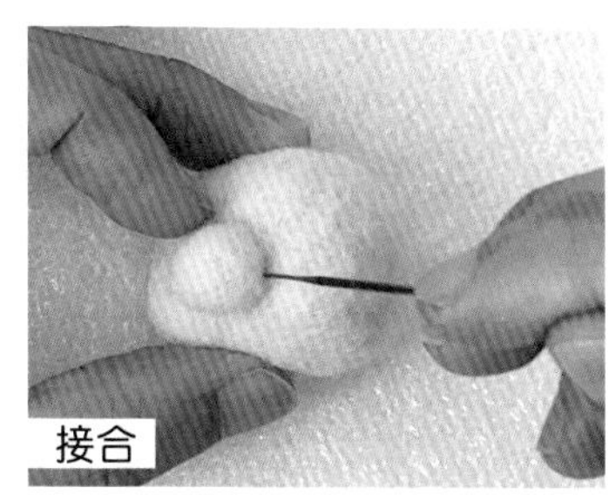

7 沿鬍鬚墊外圍以斜針向下戳刺接合

Tips：勿從上方戳刺接合，鬍鬚墊會扁掉

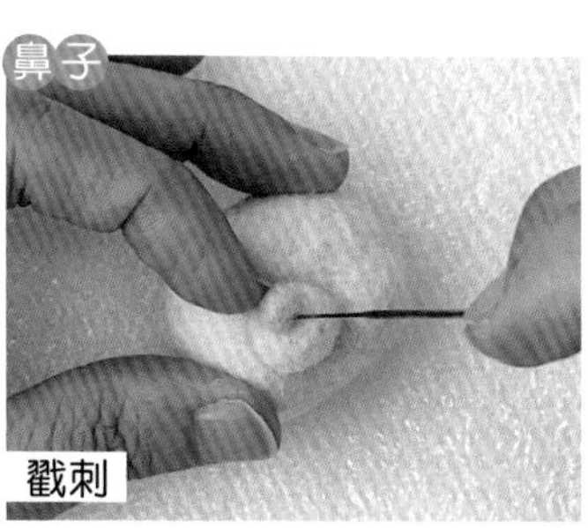

8 取微量粉紅色羊毛，用指腹搓揉成小球後，先戳幾針氈化，再以斜針戳在鼻子位置

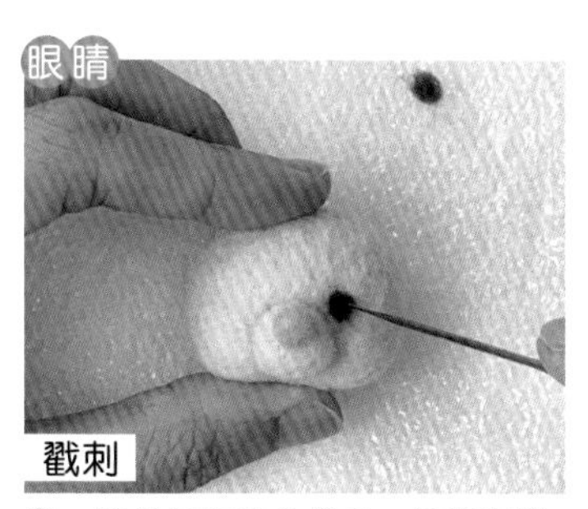

9 取微量咖啡色羊毛，用指腹搓揉出2顆相等大小的小球，直接戳在眼睛位置

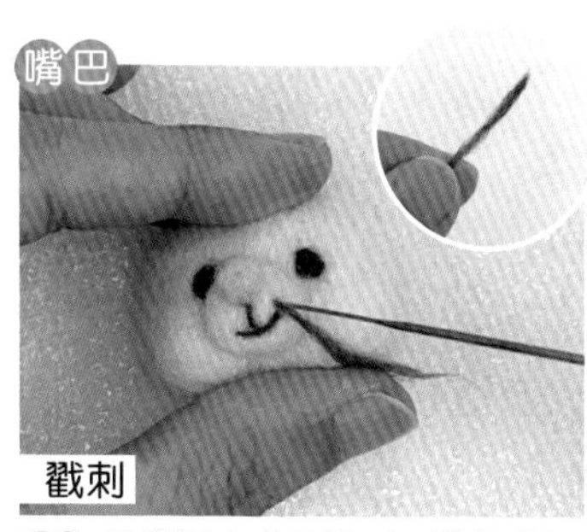

10 取微量咖啡色羊毛，搓揉成細線，從鼻子往下戳刺出嘴形，多餘的線用剪刀剪掉

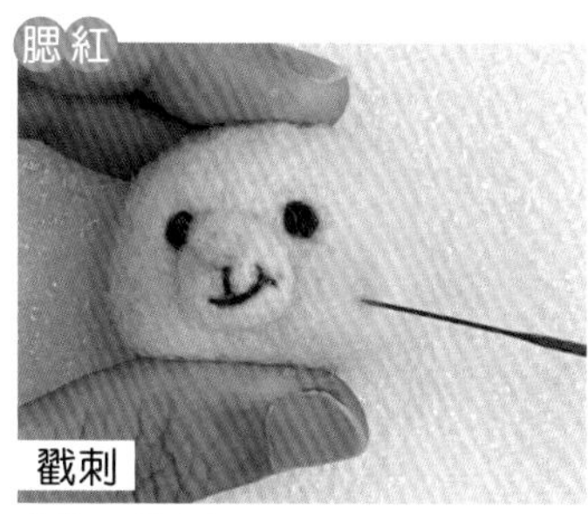

11 取微量粉紅色羊毛，平均鋪在臉頰上以淺針戳刺固定

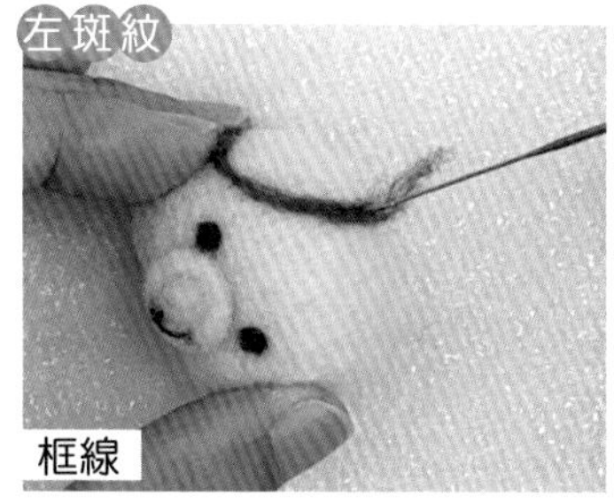

12 取少量咖啡色羊毛，用指腹搓揉成細線，沿著頭頂勾勒出斑紋框線

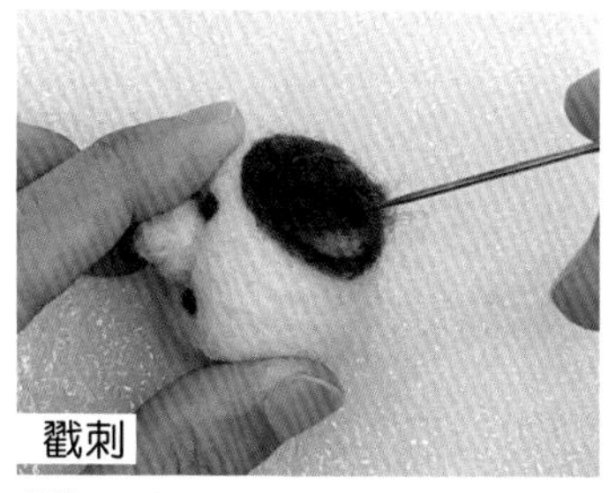

13 將咖啡色羊毛以淺針戳刺填滿區塊

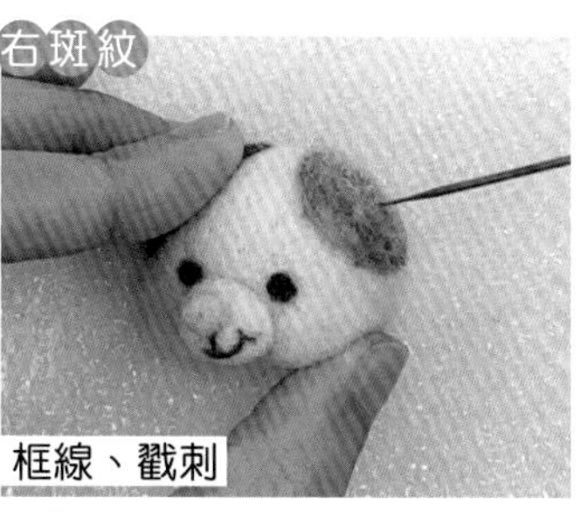

14 取少量黃棕色羊毛，同貓步驟12～13的做法

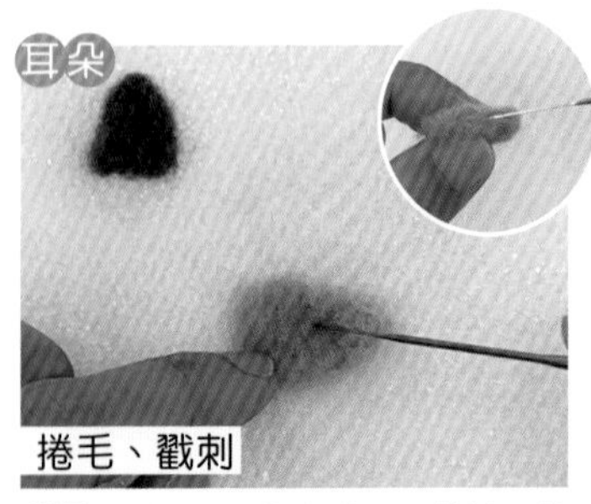

15 取2等分少量咖啡色和黃棕色羊毛，捲出橢圓形，在工作墊上戳刺，修整出三角形

Tips：物件較小可用手捏住，修飾側邊形狀和厚度

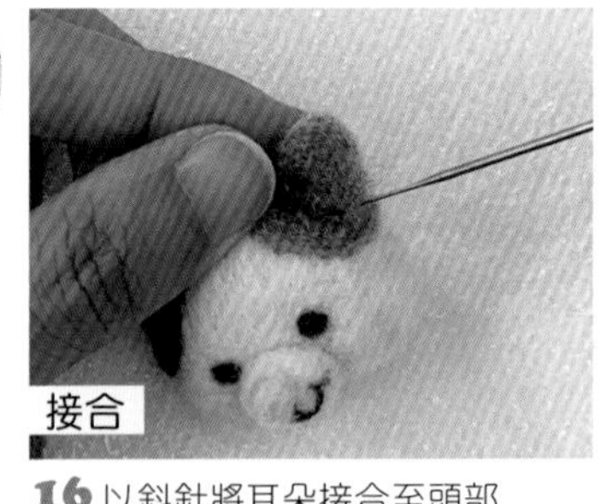

16 以斜針將耳朵接合至頭部

17 完成小貓頭部

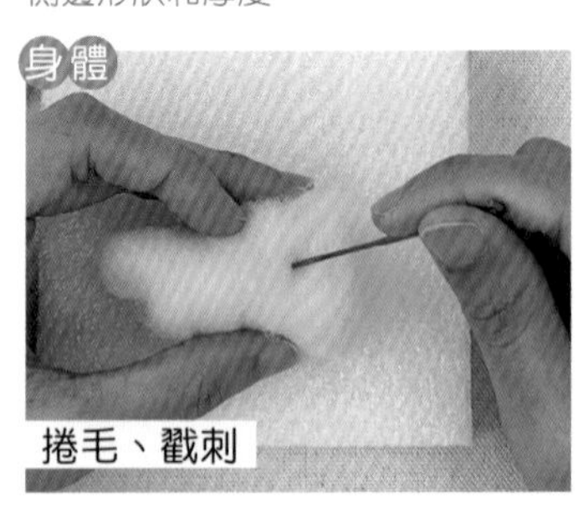

18 取白色毛捲出橢圓形，以深針塑形

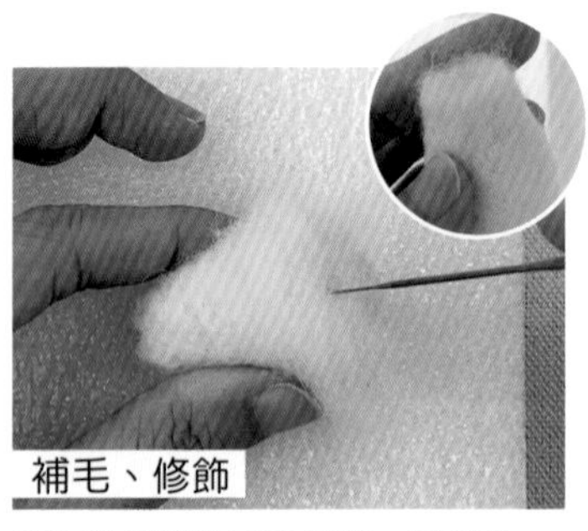

19 肚子部位可再包覆一層羊毛，以淺針戳出圓鼓鼓的身體

Tips：接合邊須預留鬆鬆的活毛

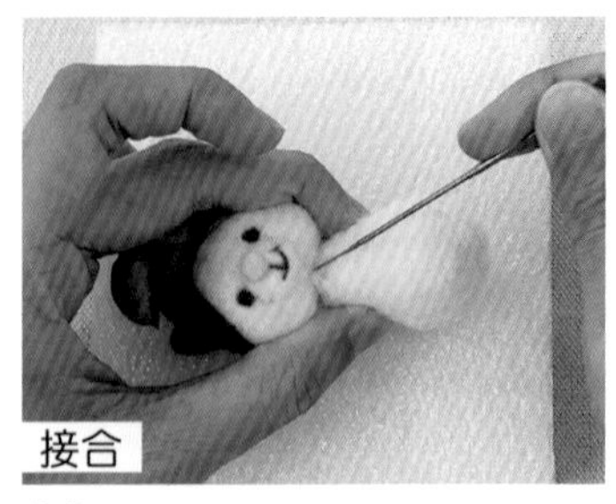

20 以斜針將身體和頭部接合

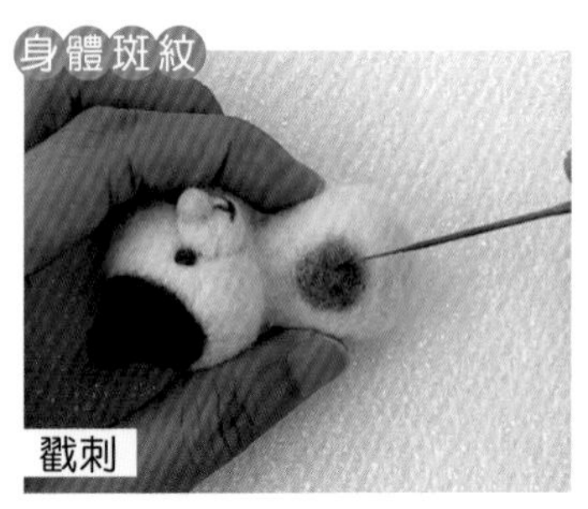

21 取少量棕色羊毛，摺成小圓後直接戳刺到身體上

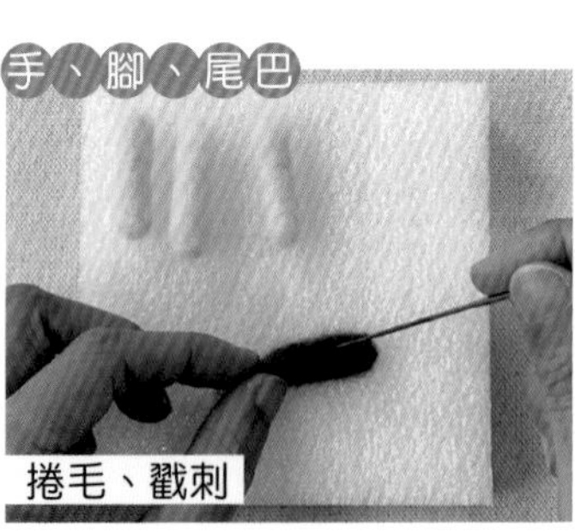

22 取少量白色和咖啡色羊毛，捲出橢圓形，以深針塑形

Tips：接合邊須預留鬆鬆的活毛

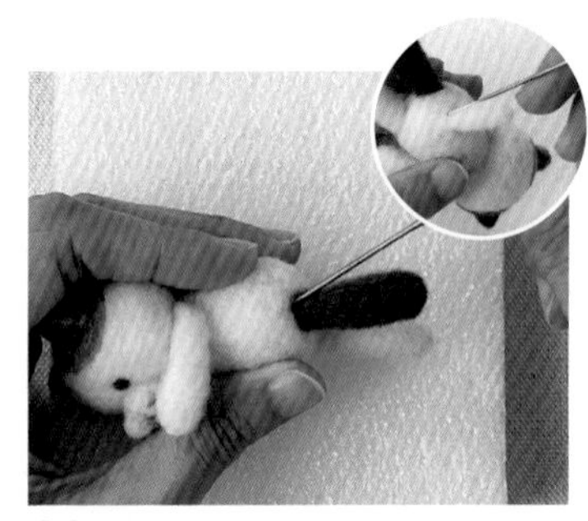

23 以斜針依序接合手、腳、尾巴

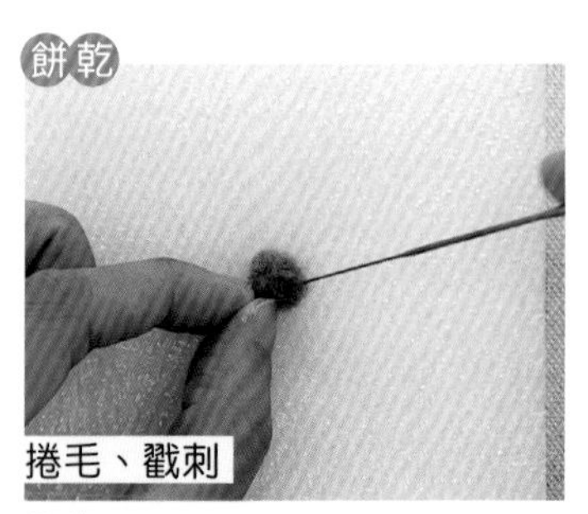

24 取微量金黃色和咖啡色羊毛交疊，揉成圓球後戳刺成扁扁的小圓餅乾，完成後用保麗龍膠或白膠黏到小貓手上

25 可愛的淘氣貓完成

松鼠小乙＋
草莓蛋糕卷

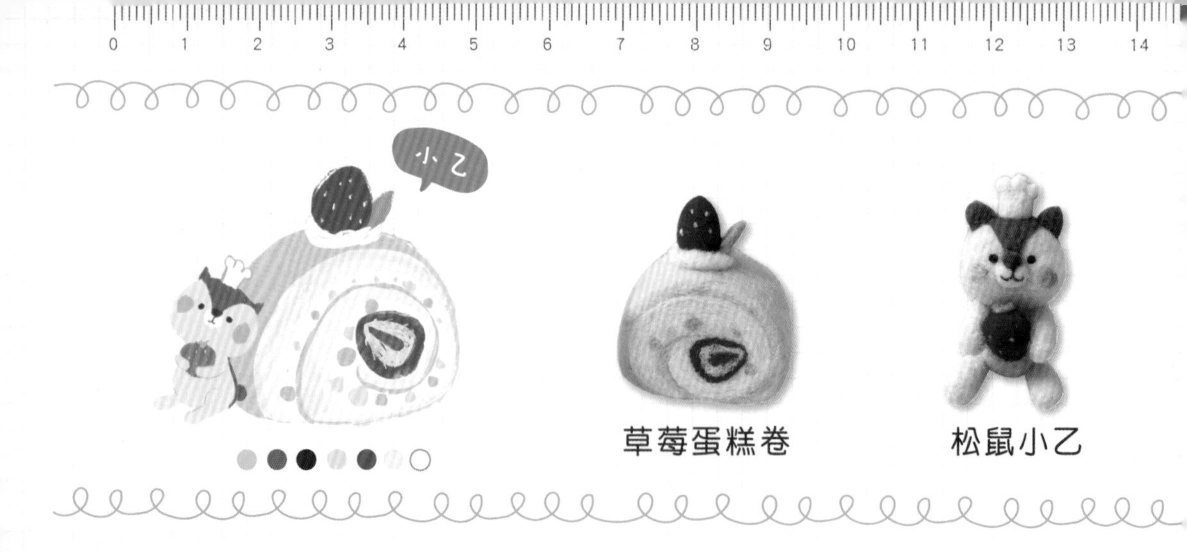

原寸比例

版型與完成後的成品大小比例為1:1，
製作過程中可一邊比對圖例一邊調整大小。

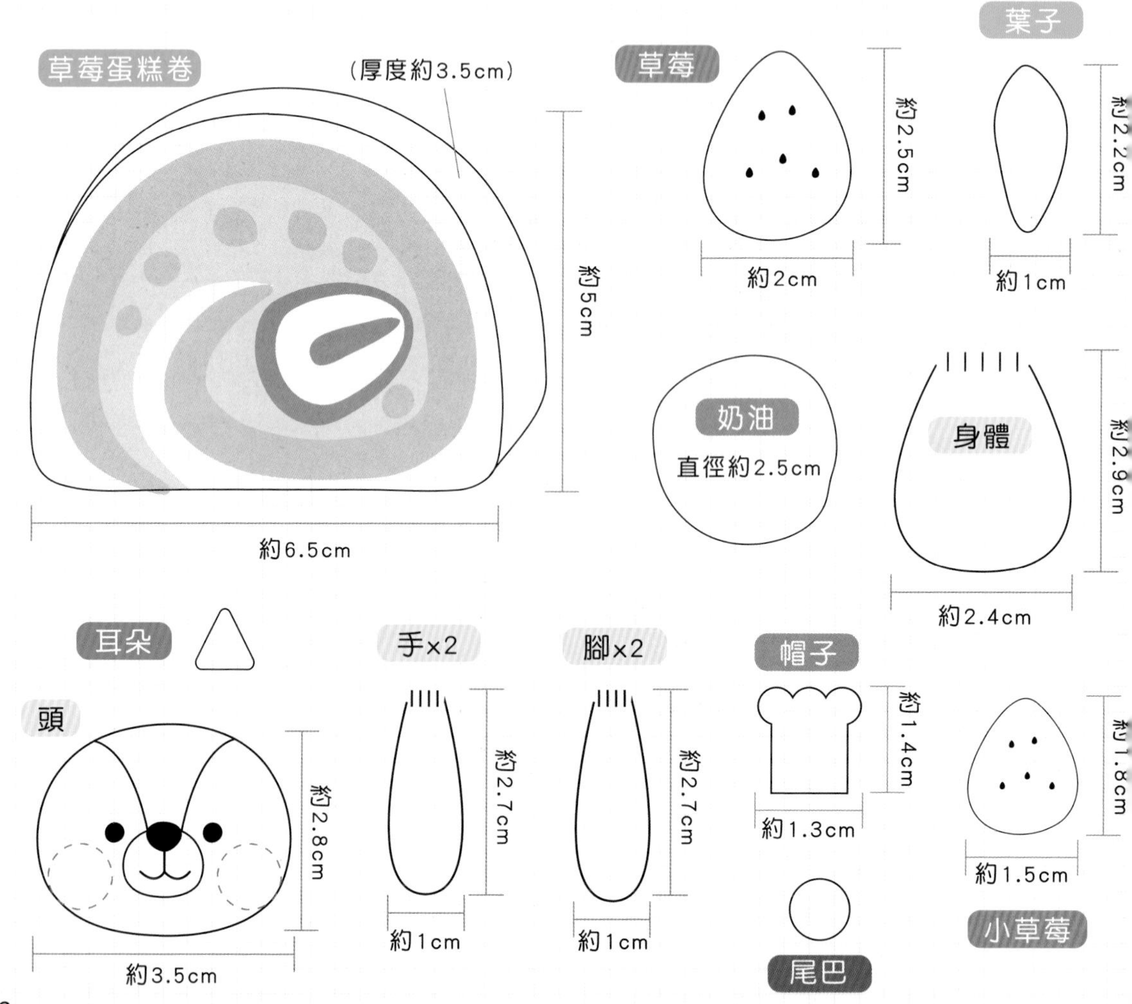

完整影片教學

跟著步驟一步步完成吧！

(完成尺寸因個人力道不同而有所差異)
(製作前，建議先將毛量依部位分配好，戳起來會更順手呦！)

草莓蛋糕卷

蛋糕主體

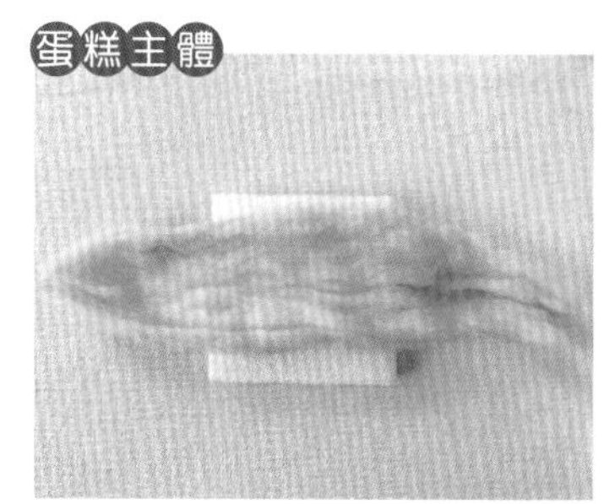

1 取粉色羊毛，平均交疊攤開

Tips：須預留一些粉色羊毛，做補毛修飾和其它部位使用

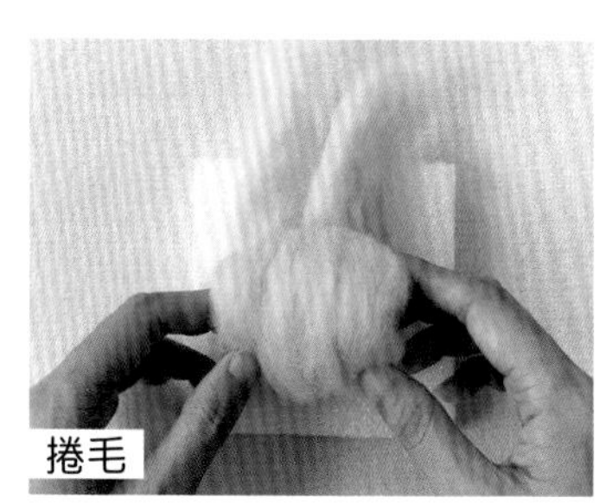

2 向外捲出寬約6cm橢圓

Tips：輕輕捲，不要捲太緊，保留蛋糕蓬鬆感

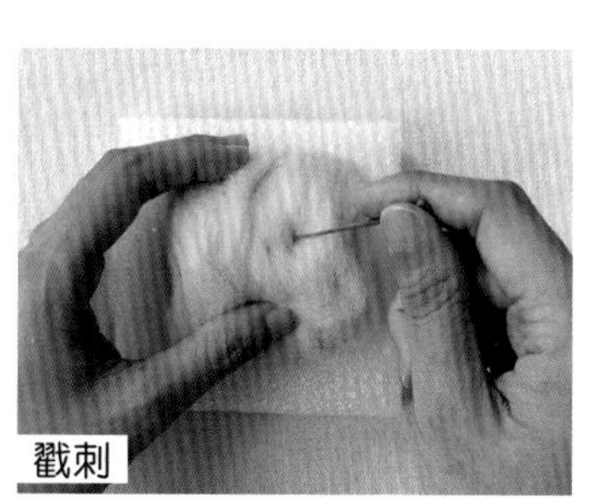

3 收合處先戳幾針固定後，以深針戳刺塑形，一手轉動羊毛一手戳刺，平均氈化

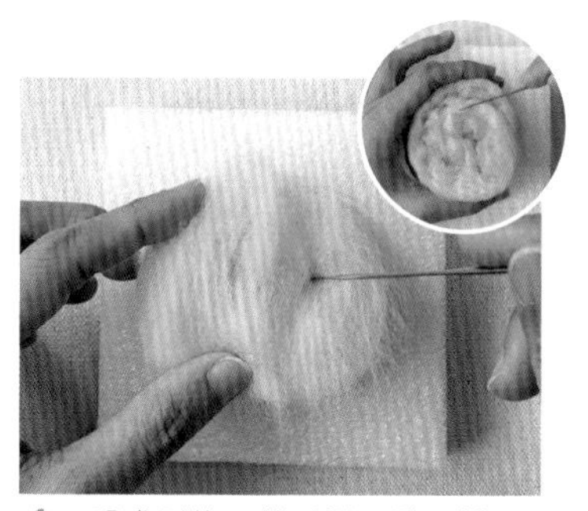

4 略成形後，若毛量不夠可補毛增加厚度，戳至適當大小

Tips：過程中可用手捏出半圓，幫助塑形，底部須戳成平面

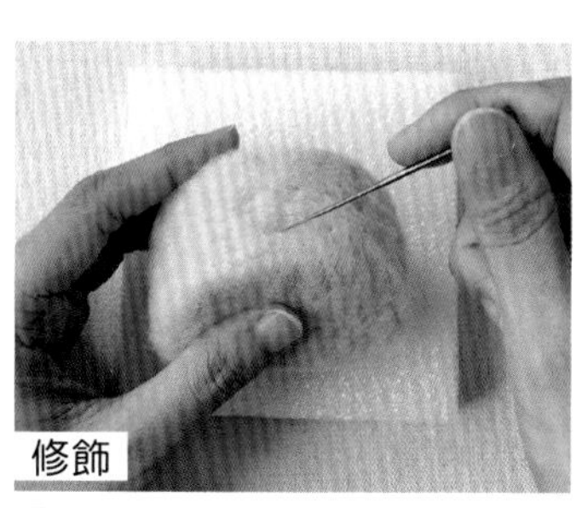

5 形狀固定後以淺針修飾，戳至表面氈化，蛋糕側邊厚度約3.5cm即完成(請參考原寸比例圖)

Tips：蛋糕保持蓬鬆手感

蛋糕內層

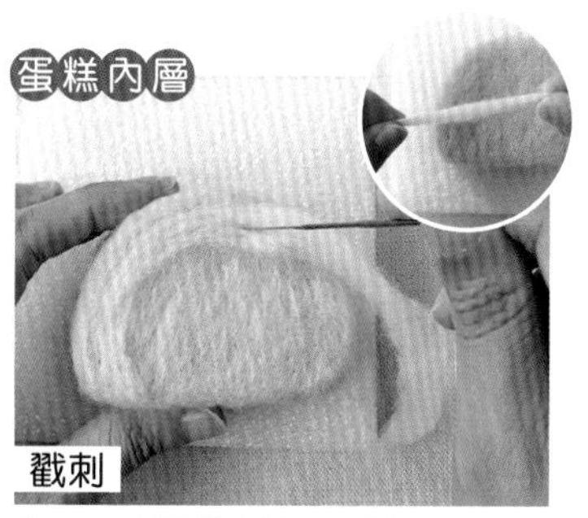

6 取少量黃色羊毛，搓揉成條狀後，放在蛋糕主體上，以斜針由外向內戳刺成螺旋狀

奶油內餡

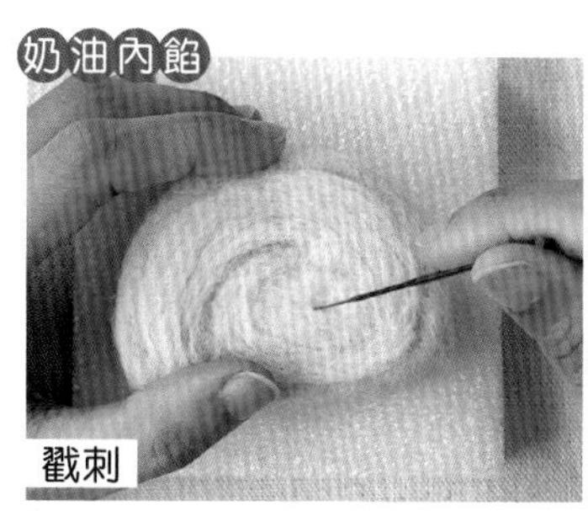

7 取少量白色羊毛，填滿蛋糕中心，同蛋糕卷步驟6做法

草莓內餡

8 取少量紅色和白色羊毛，摺成橢圓片狀，放在蛋糕上以淺針戳刺修整出草莓形狀，一層紅色，一層白色疊戳上去

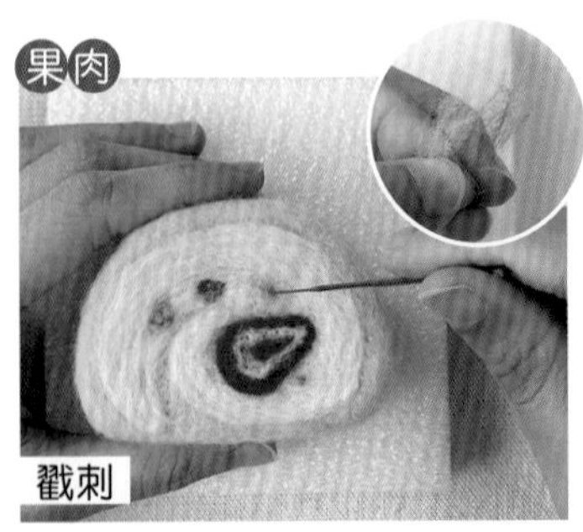

9 取微量粉紅＋紅色羊毛混和，用指腹搓揉成小球後，直接戳入奶油內餡

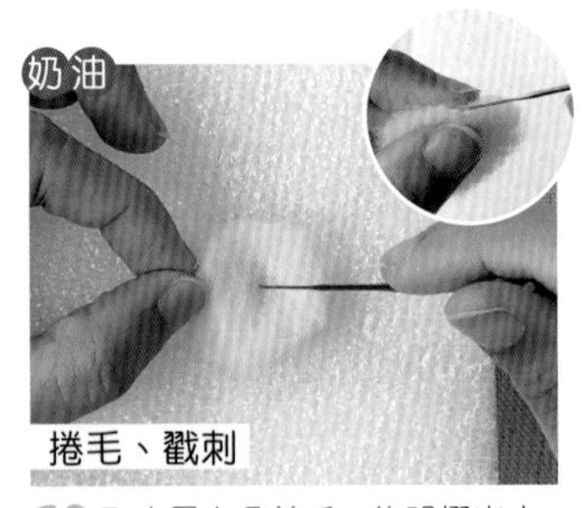

10 取少量白色羊毛，約略摺出方形，邊戳邊修整出小圓片狀

Tips：物件較小可用手捏住，修飾側邊形狀和厚度

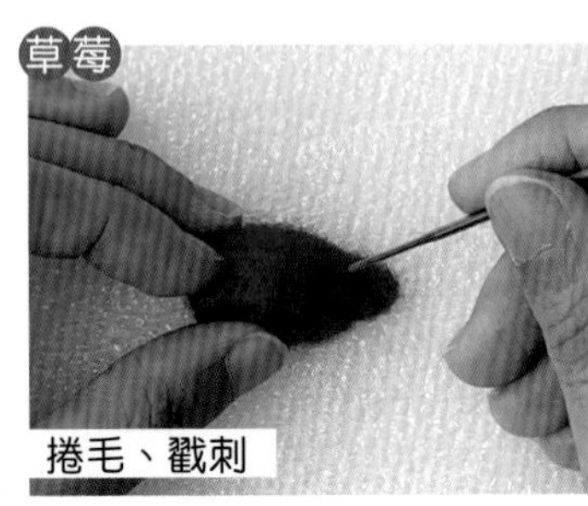

11 取紅色羊毛，捲出橢圓形後以深針戳刺塑形

Tips：過程中若毛量不夠可補毛戳至適當大小

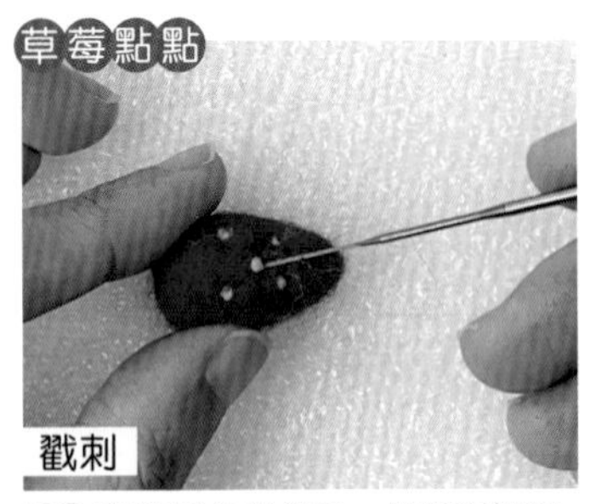

12 取微量白色羊毛，用指腹搓揉出幾顆小球後，直接戳入草莓表面

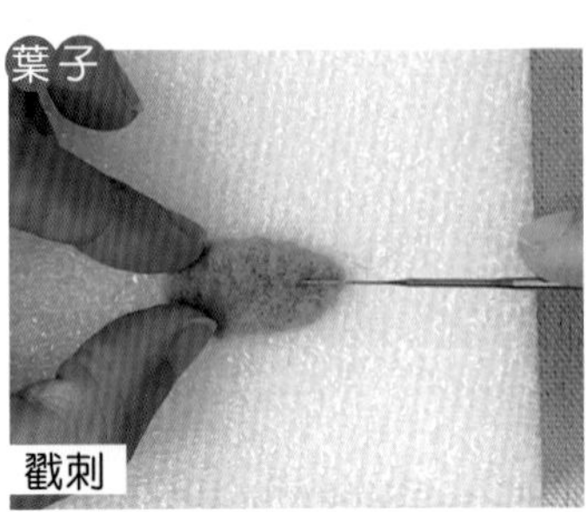

13 取少量綠色毛，摺出橢圓形，邊戳邊修整出葉片狀

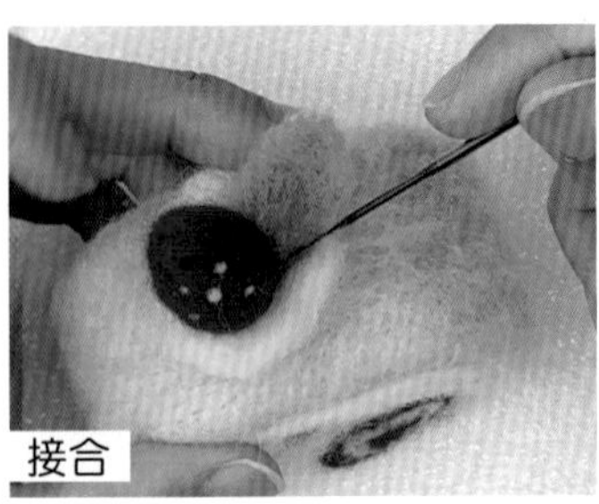

14 將奶油、草莓、葉子依序以斜針戳刺接合至蛋糕上

15 可愛的草莓蛋糕卷完成囉

松鼠小乙

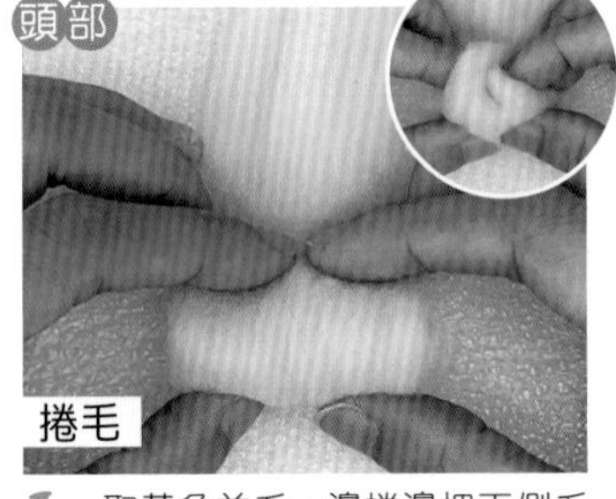

1 取黃色羊毛，邊捲邊把兩側毛往內收，捲出橢圓形

Tips：毛捲緊一點，可加速氈化的時間，也較好預估氈化後作品大小

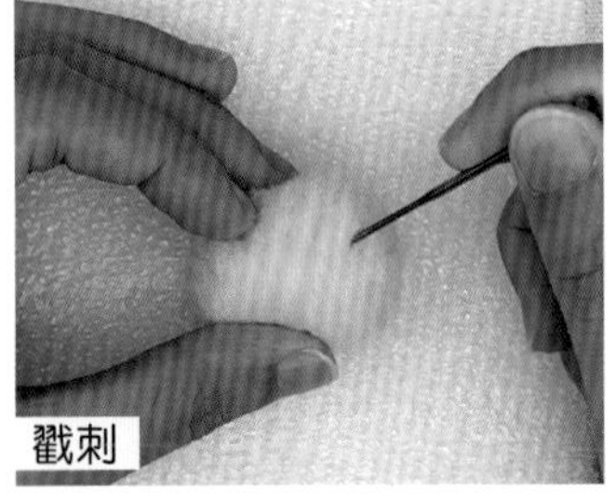

2 收合處先戳幾針固定，再以深針戳刺塑形，一手轉動羊毛一手戳刺，平均氈化

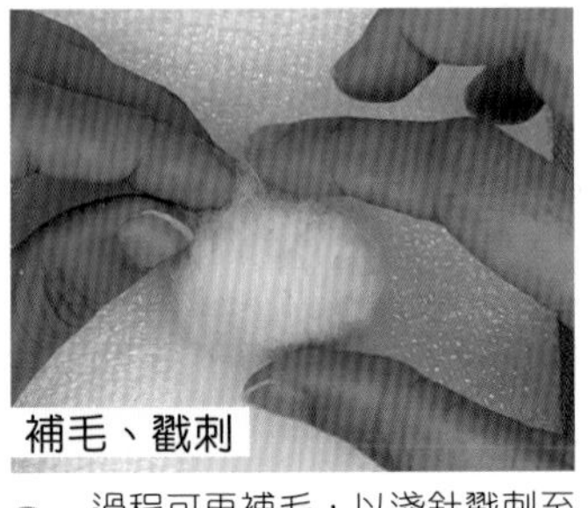

3 過程可再補毛，以淺針戳刺至適當大小

Tips：頭部可以戳硬一點，五官戳上去才不會塌陷

臉頰

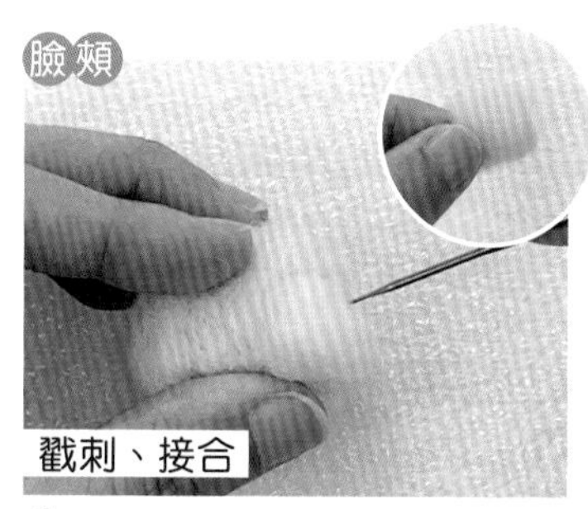

4 將2等分少量黃色羊毛摺出方形後，放在臉頰位置，以斜針戳刺做出兩側鼓鼓的臉頰

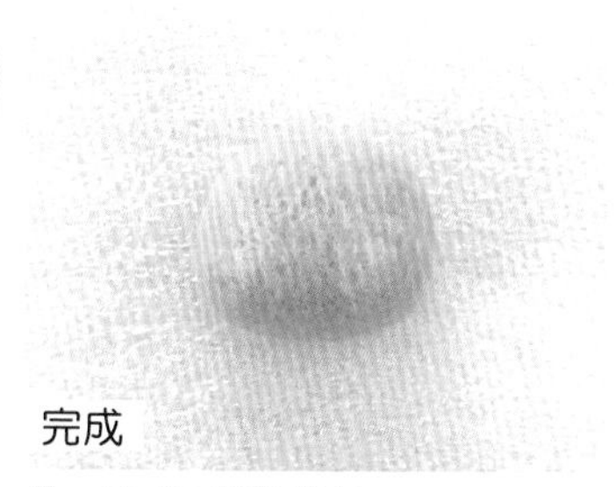

5 完成可愛的臉頰

鬍鬚墊

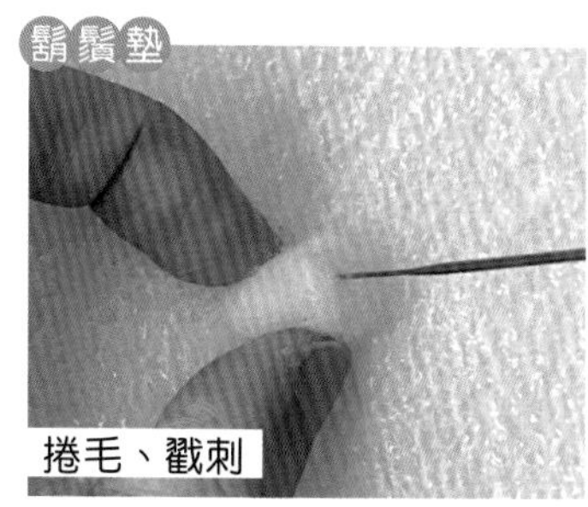

6 取少量白色毛，戳成一個小圓

Tips：鬍鬚墊可戳硬一點，鼻子、嘴巴戳上去才不會塌陷

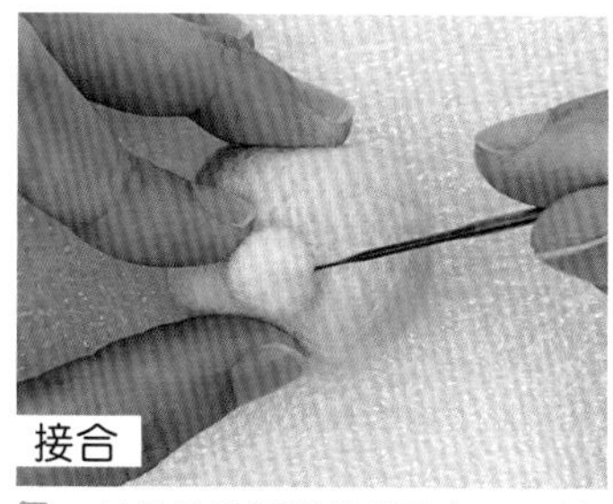

7 以斜針沿鬍鬚墊外圍向下戳刺，接合至兩頰中間

Tips：勿從上方戳刺接合，鬍鬚墊會扁掉

鼻子

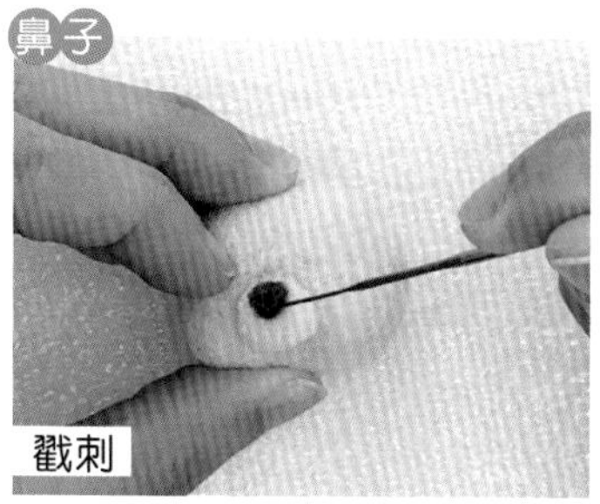

8 取微量紅棕色羊毛，用指腹搓揉成小球，先戳幾針氈化，再以斜針戳在鼻子位置

眼睛

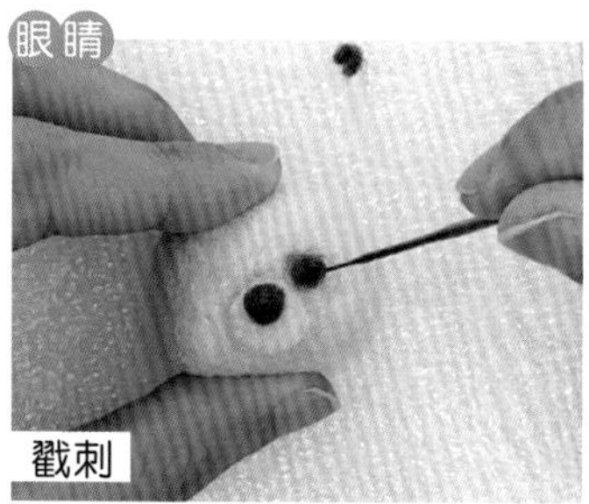

9 取微量咖啡色羊毛，用指腹搓揉出 2 顆小球，直接戳在眼睛位置

嘴巴

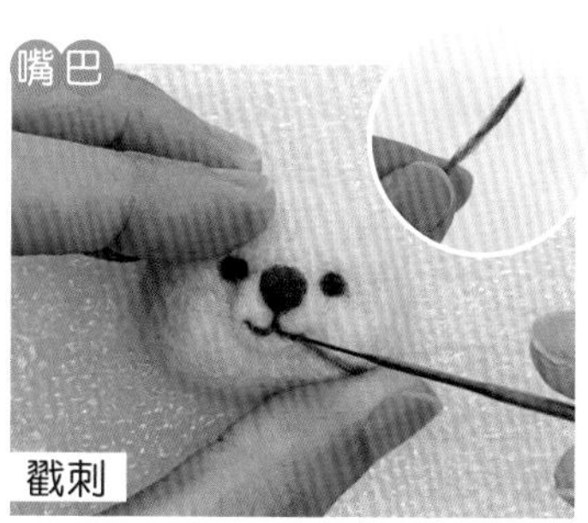

10 取微量咖啡色羊毛，搓揉成細線，從鼻子往下戳刺出嘴形，多餘的線用剪刀剪掉

腮紅

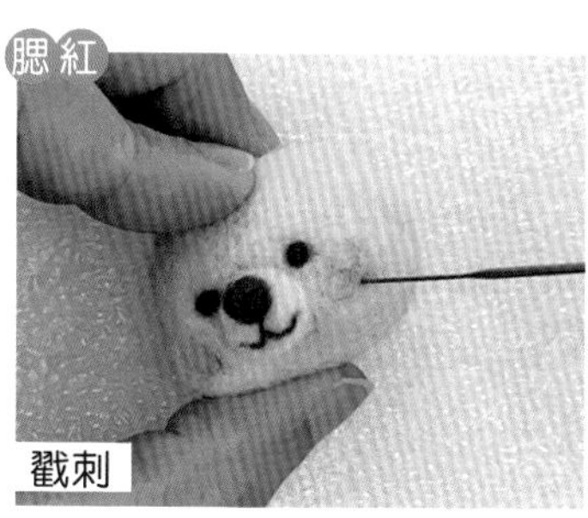

11 取微量粉紅＋紅色羊毛混和，鋪在臉頰上以淺針戳刺固定

頭部斑紋

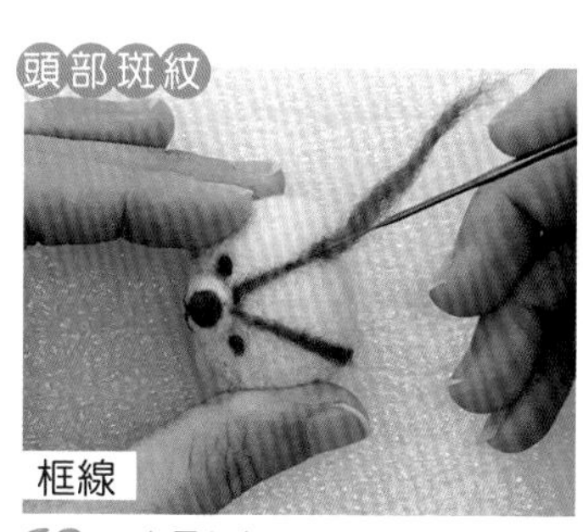

12 取少量紅棕色羊毛，搓揉成細線，從臉部到後腦勺勾勒出斑紋框線

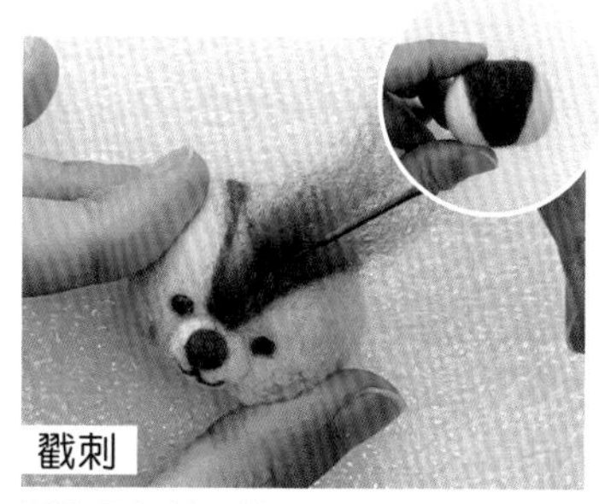

13 將紅棕色羊毛以淺針戳刺填滿區塊

耳朵

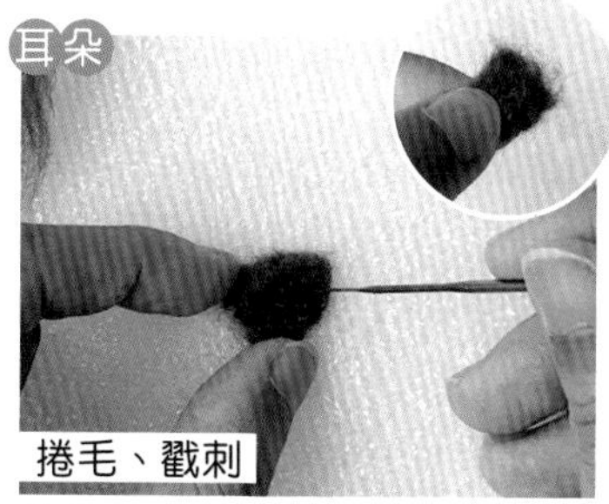

14 取2等分少量紅棕色羊毛，戳出2個扁三角形

Tips：接合邊須預留鬆鬆的活毛

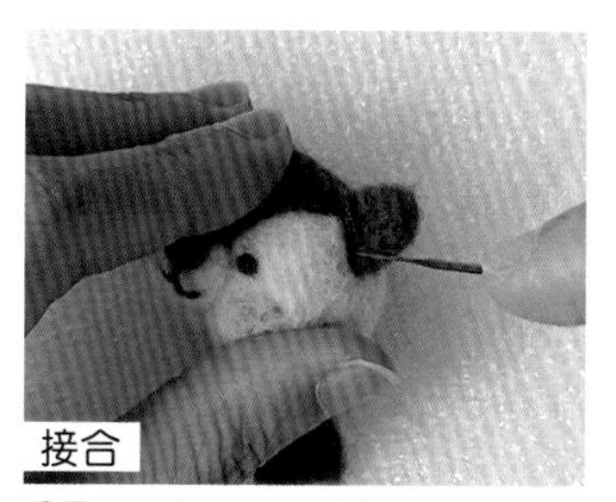

15 以斜針將耳朵接合至頭部

16 完成松鼠頭部

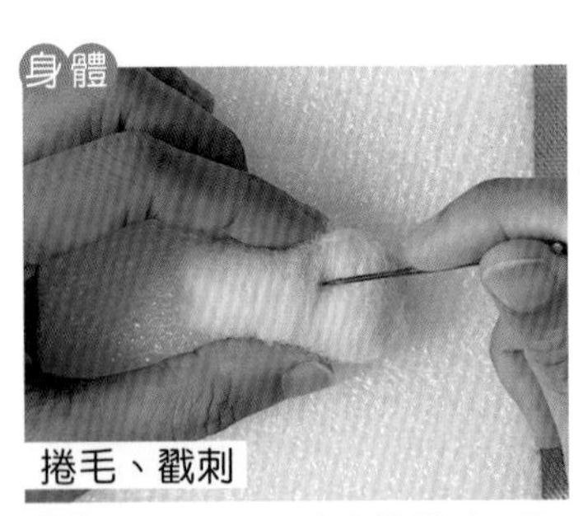

17 取黃色羊毛，捲出橢圓形，再以深針塑形

Tips：接合邊須預留鬆鬆的活毛

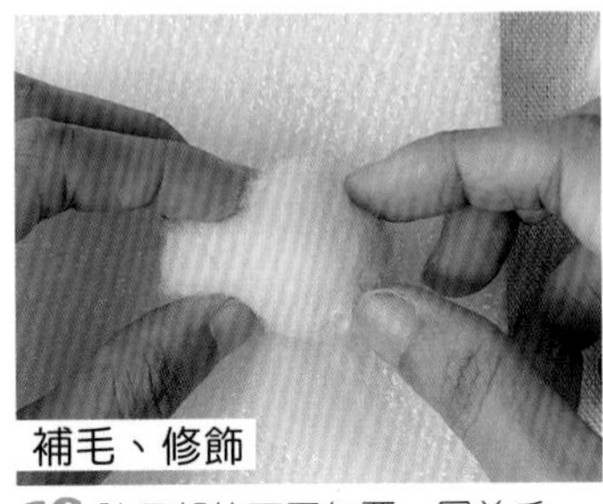

18 肚子部位可再包覆一層羊毛，以淺針戳出圓鼓鼓的身體

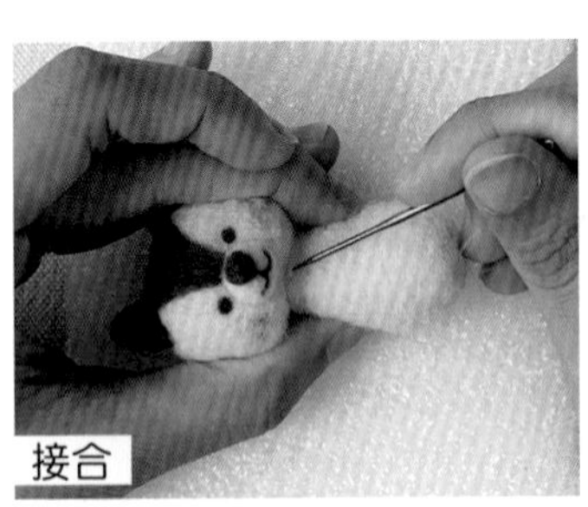

19 以斜針將身體和頭部接合

20 取少量紅棕色羊毛，同松鼠步驟12～13的做法

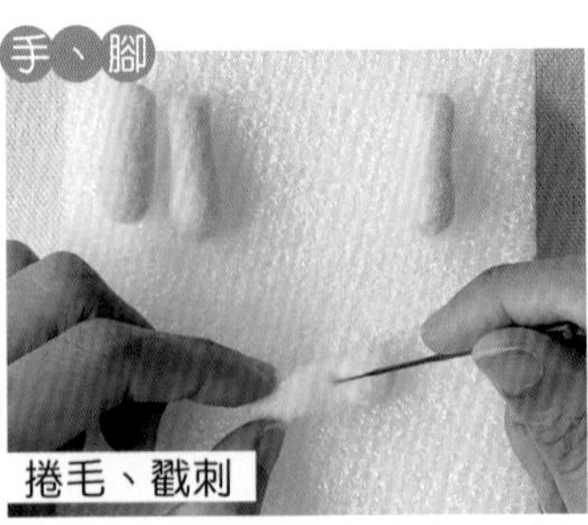

21 取少量黃色羊毛，捲出橢圓形，再以深針塑形

Tips：接合邊須預留鬆鬆的活毛

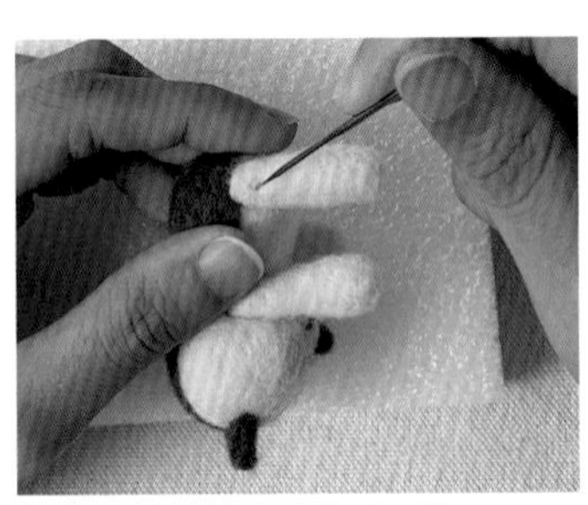

22 以斜針依序接合手、腳

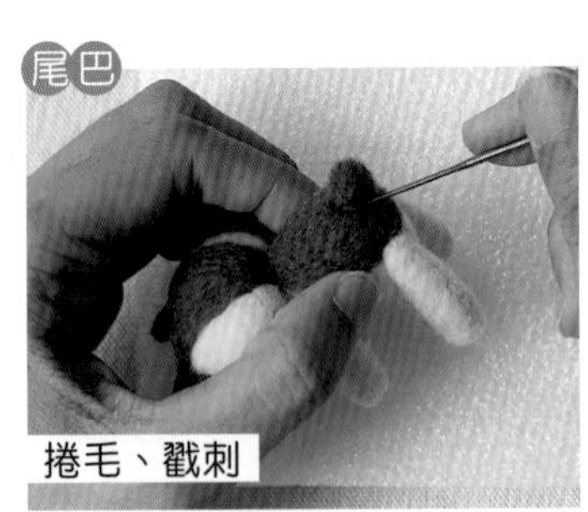

23 取少量咖啡色羊毛，戳出小圓球後，以斜針接合至尾巴位置

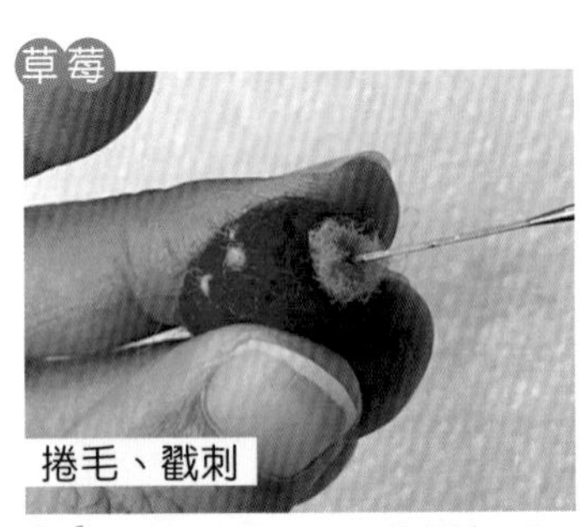

24 同蛋糕步驟11～12的做法。取微量綠色羊毛，用指腹搓揉後直接戳入草莓頂端，完成後用保麗龍膠黏到小松鼠手上

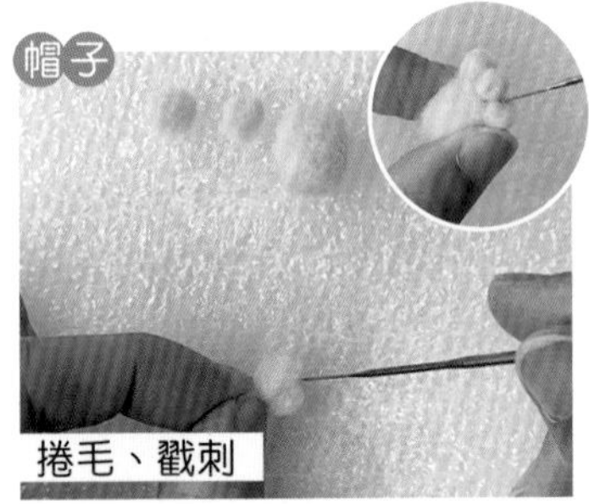

25 取少量白色羊毛，戳出圓柱體和３顆小球，將小球接合至圓柱體頂部，完成帽子

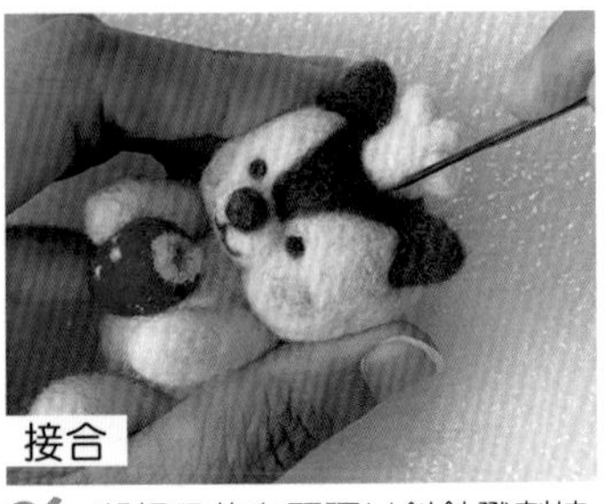

26 將帽子放在頭頂以斜針戳刺接合

27 可愛的小松鼠完成

汪星人歐文
+甜甜圈

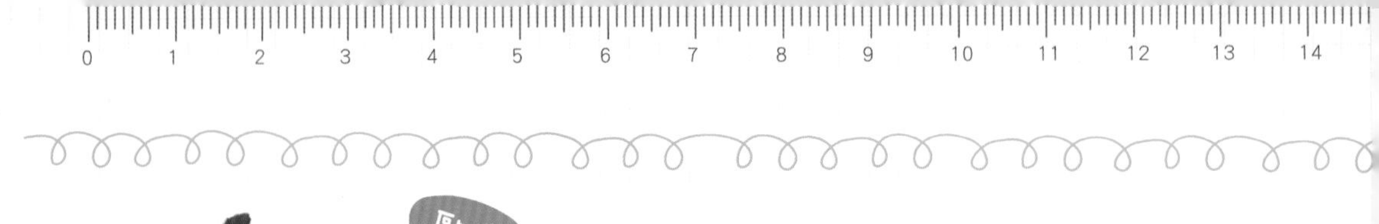

甜甜圈

汪星人歐文

原寸比例

版型與完成後的成品大小比例為1:1，
製作過程中可一邊比對圖例一邊調整大小。

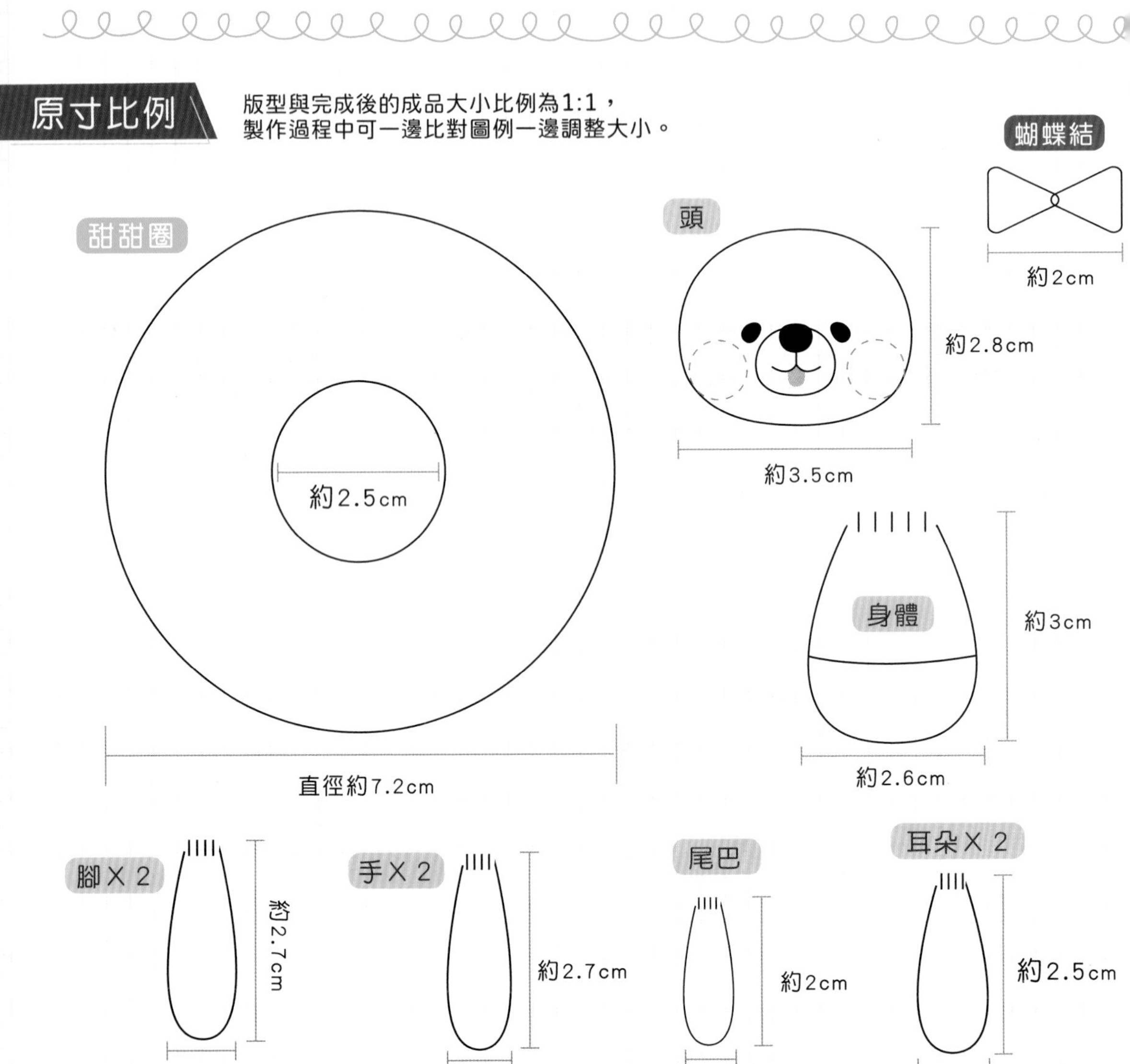

17 18 19 20 21 22 23 24 25 26 27 28 29 30
（羊毛長度測量尺）

完整影片教學

跟著步驟一步步完成吧！

(完成尺寸因個人力道不同而有所差異)
(製作前，建議先將毛量依部位分配好，戳起來會更順手呦！)

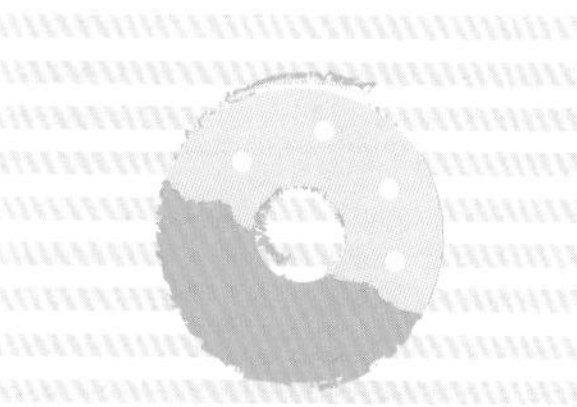

主體

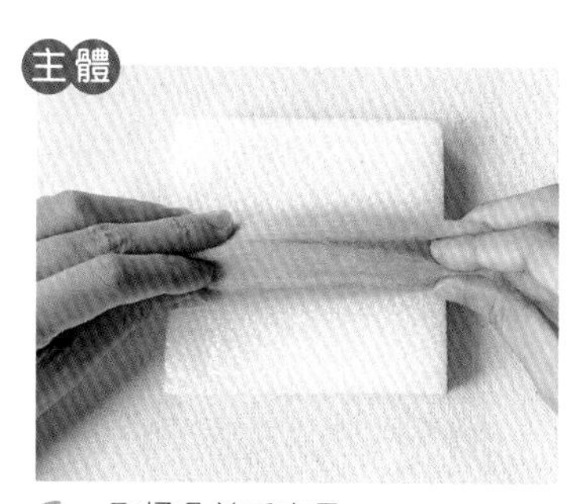

1 取橘色羊毛交疊

Tips：須預留一些橘色羊毛，做補毛修飾和其它部位使用

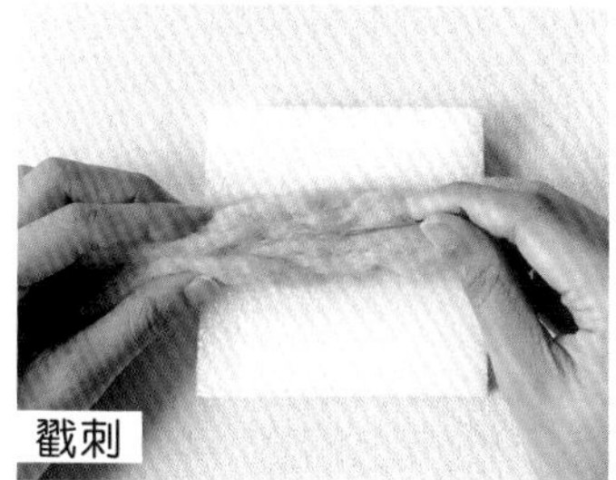

2 以深針戳刺約略氈化成18公分長的條狀，一端須預留蓬鬆的毛待接合

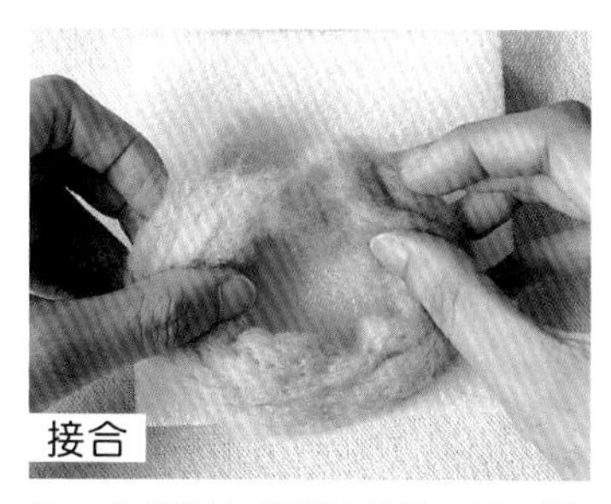

3 約略氈化後頭尾相接，將一端預留的蓬鬆毛包覆另一端，戳刺接合成一個圓圈

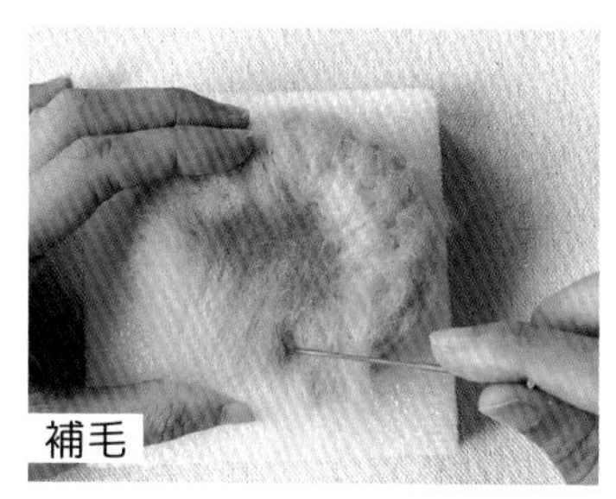

4 補毛調整甜甜圈整體厚度

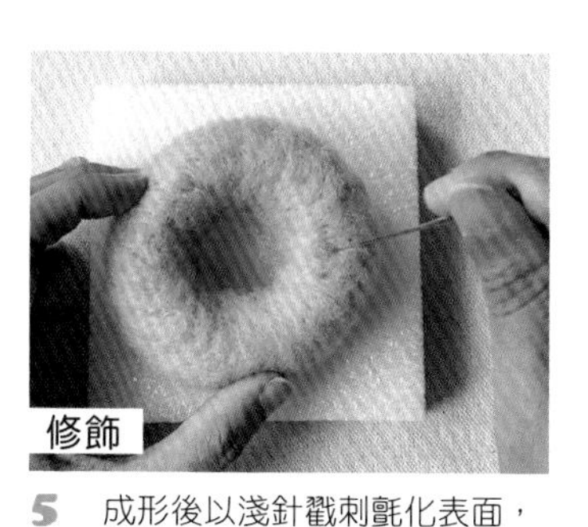

5 成形後以淺針戳刺氈化表面，側邊運用斜針修飾出圓弧形

Tips：甜甜圈不用戳太硬，形狀出來後表面氈化即可

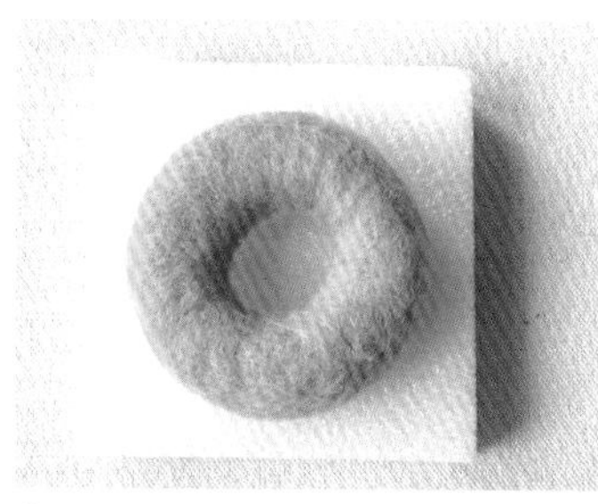

6 甜甜圈主體完成

藍色糖霜

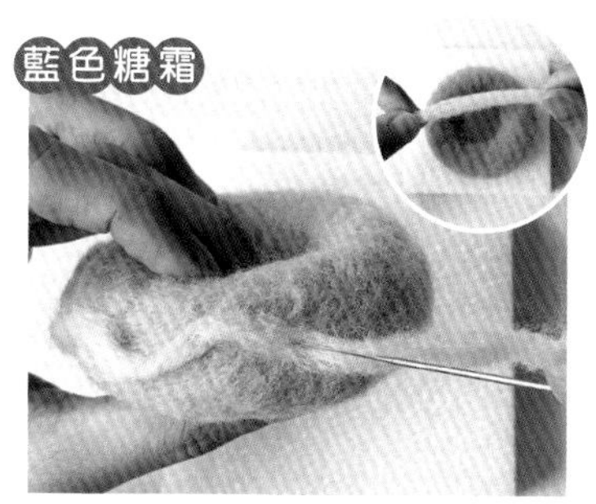

7 取少量藍色羊毛，用指腹搓揉成細線，沿著甜甜圈外圍勾勒出糖霜區塊

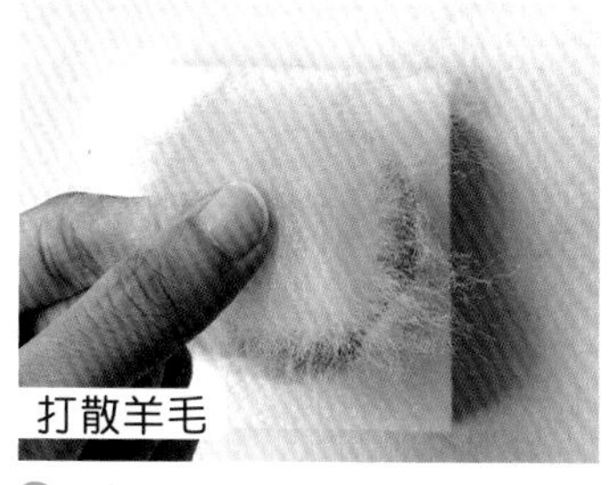

8 勾勒出框線後，將藍色羊毛打散，直橫交疊鋪在藍色區塊內

Tips：破壞羊毛纖維及毛流方向，可使完成後的表面較平整細緻

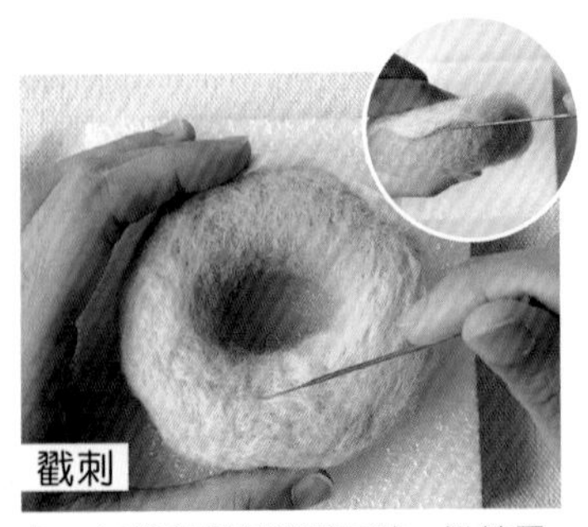

9 以淺針戳刺填滿區塊，沿糖霜邊緣向內戳刺出厚度

10 完成藍色糖霜

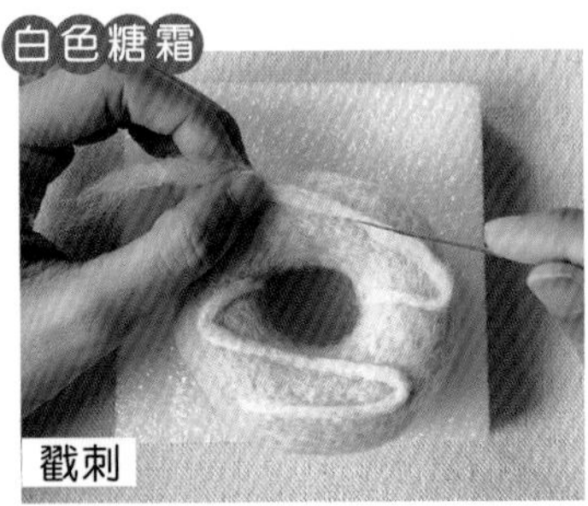

11 取白色少量羊毛，搓揉成細線後，沿白色糖霜兩側以斜針戳刺出立體感

Tips：勿直接從上方戳刺，糖霜會扁掉

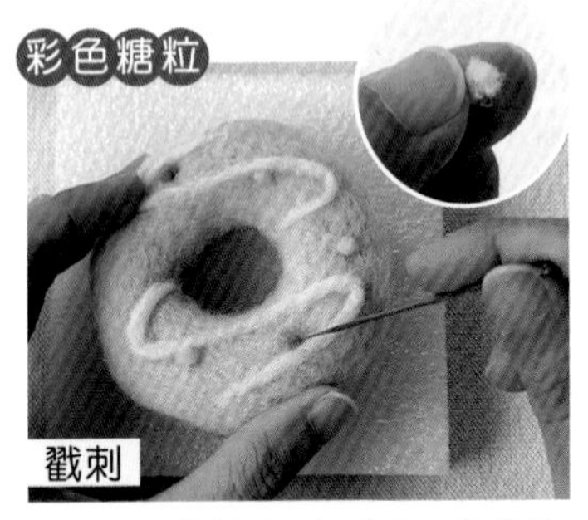

12 取微量粉色、奶茶色、白色羊毛，用指腹揉成小球後直接在甜甜圈表面戳刺固定

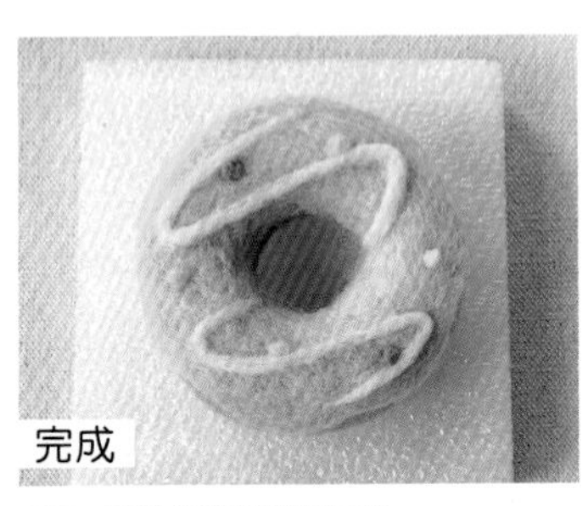

13 可愛的甜甜圈完成

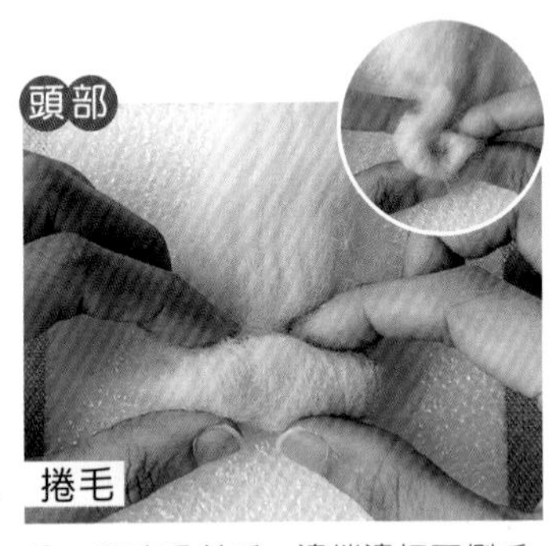

1 取杏色羊毛，邊捲邊把兩側毛往內收，捲出橢圓形

Tips：毛捲緊一點，可加速氈化的時間，也較好預估氈化後作品大小

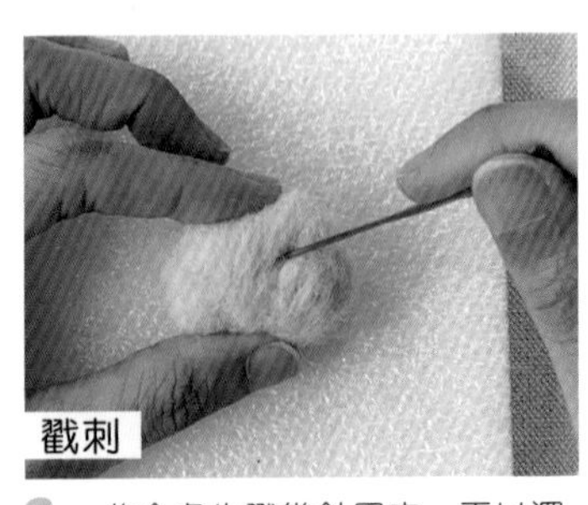

2 收合處先戳幾針固定，再以深針戳刺塑形，一手轉動羊毛一手戳刺，平均氈化

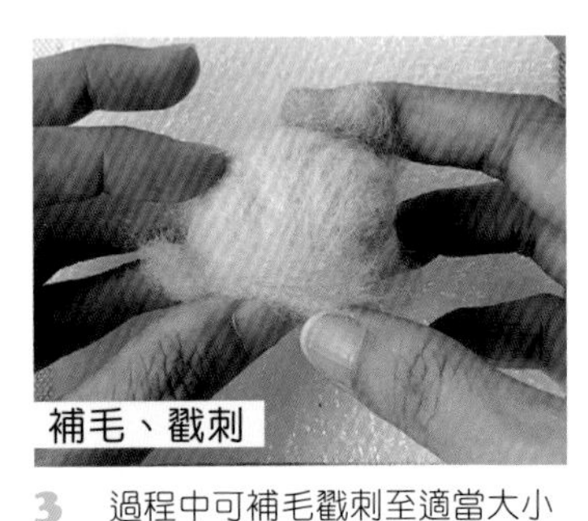

3 過程中可補毛戳刺至適當大小

Tips：頭部可以戳硬一點，五官戳上去才不會塌陷

臉頰

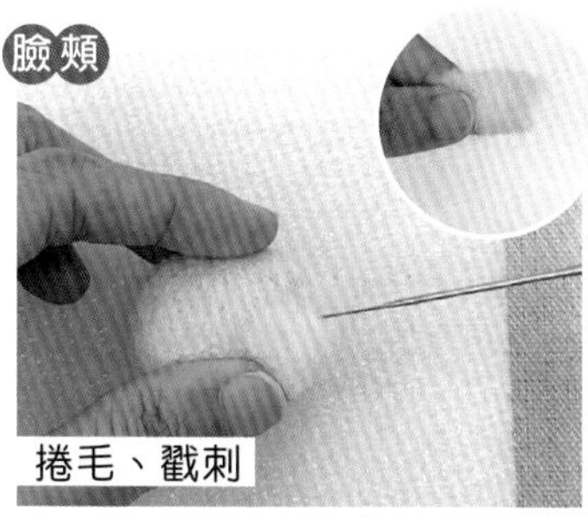

4 將2等分少量杏色羊毛摺出方形，放在臉頰位置，以斜針戳刺做出兩側鼓鼓的臉頰

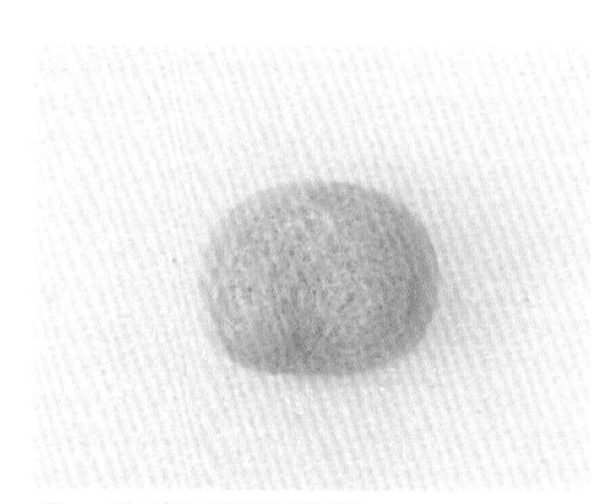

5 完成可愛的臉頰

鬍鬚墊

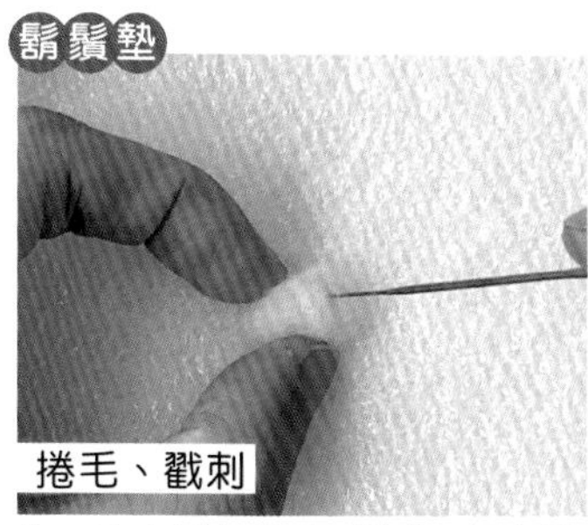

6 取少量白色毛，戳成一個小圓

Tips：鬍鬚墊可稍微戳硬一點，鼻子、嘴巴戳上去才不會塌陷

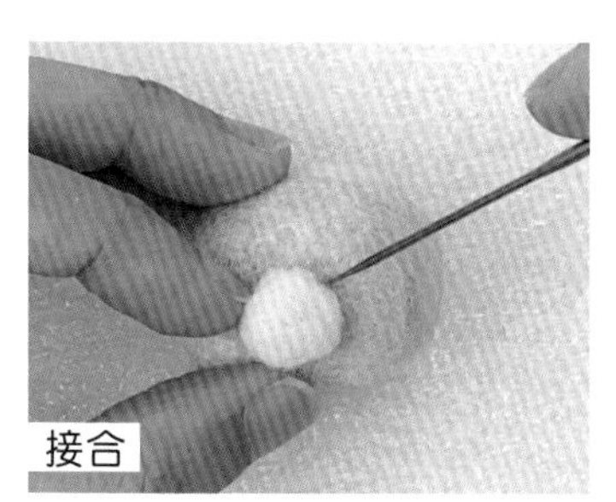

7 以斜針沿鬍鬚墊外圍向下戳刺接合至兩頰中間

鼻子

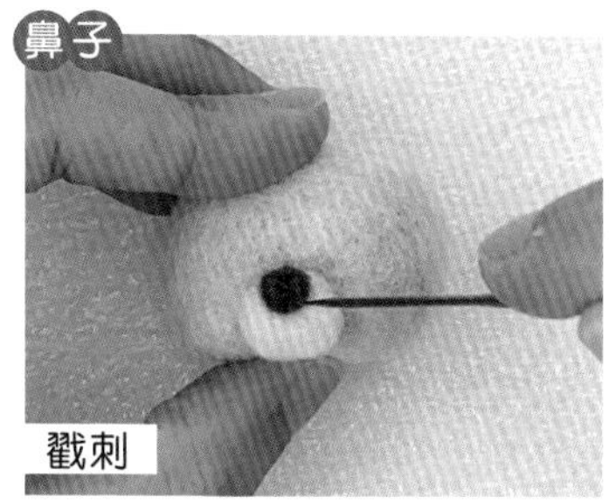
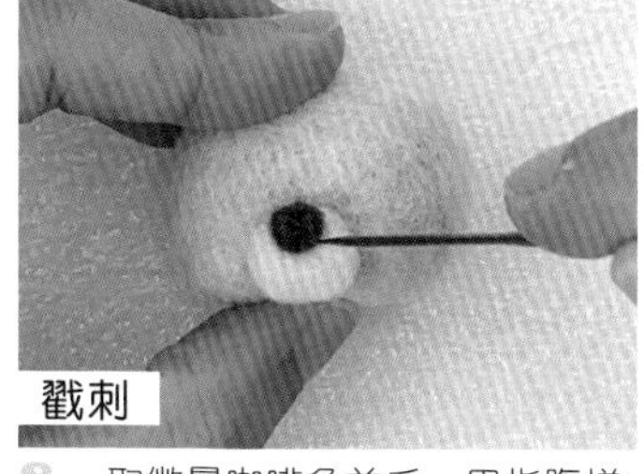

8 取微量咖啡色羊毛，用指腹搓揉成小球後，先戳幾針氈化，再以斜針戳入鼻子位置

Tips：勿從上方戳刺接合，鬍鬚墊會扁掉

眼睛

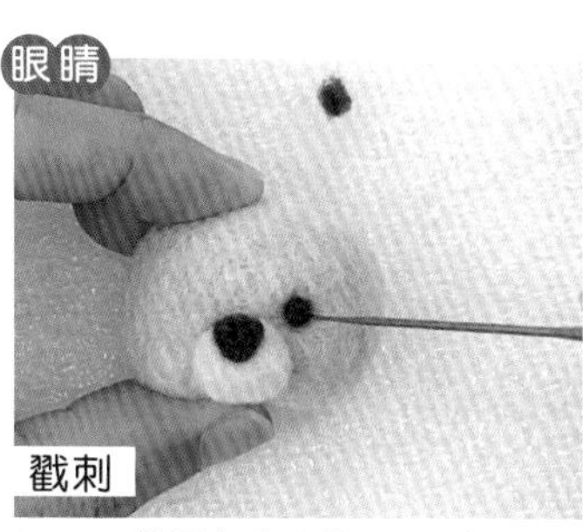

9 取微量咖啡色羊毛，用指腹揉出2顆相等大小的小球後，直接戳入眼睛位置

嘴巴

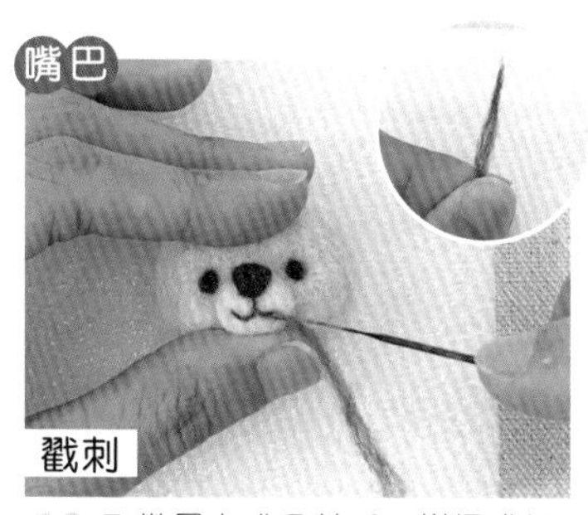

10 取微量咖啡色羊毛，搓揉成細線，從鼻子往下戳刺出嘴形，多餘的線用剪刀剪掉

舌頭

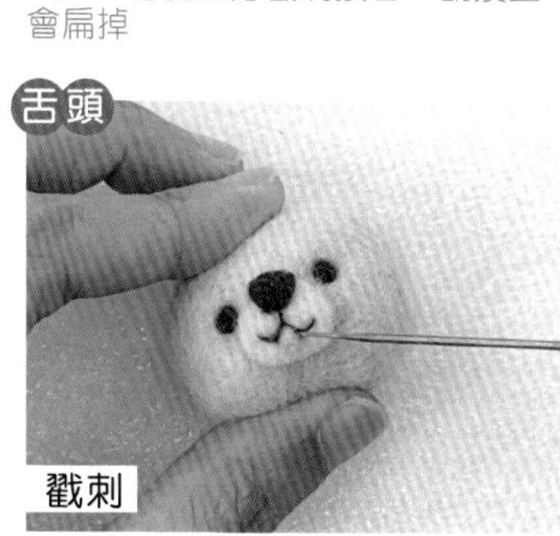

11 取微量粉紅色羊毛，同小狗步驟9的做法

腮紅

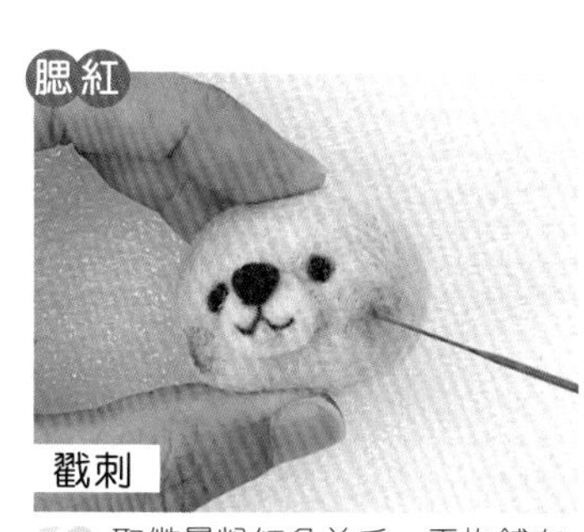

12 取微量粉紅色羊毛，平均鋪在臉頰上以淺針戳刺固定

Tips：可加一點莓紅色羊毛混和，腮紅顏色會更自然

斑紋

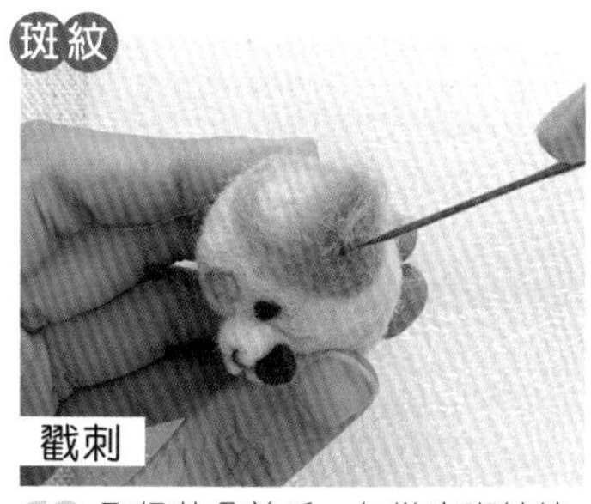

13 取奶茶色羊毛，勾勒出斑紋線框後以淺針戳刺填滿區塊

耳朵

14 取2等分少量咖啡色羊毛，分別捲毛戳刺出2個扁的橢圓形

Tips：接合邊須預留鬆鬆的活毛

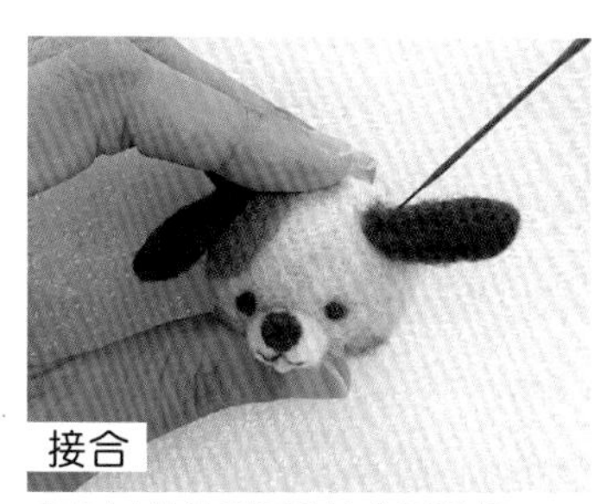

15 以斜針將耳朵接合至頭部

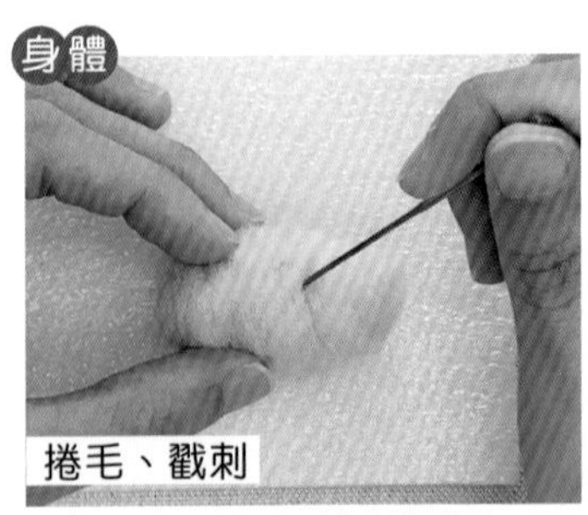

16 取杏色羊毛，捲出橢圓形，再以深針戳刺塑形

Tips：接合邊須預留鬆鬆的活毛

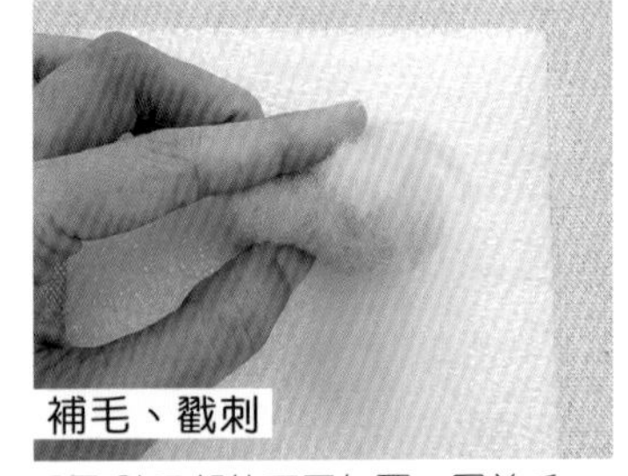

17 肚子部位可再包覆一層羊毛，以淺針戳出圓鼓鼓的身體

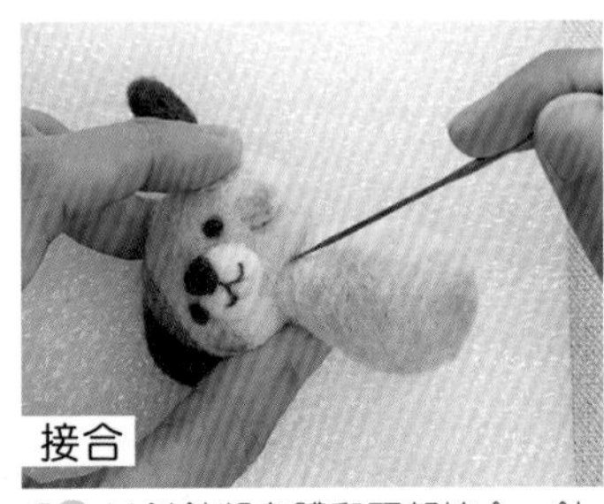

18 以斜針將身體和頭部接合，針戳深一點會接合的較牢固

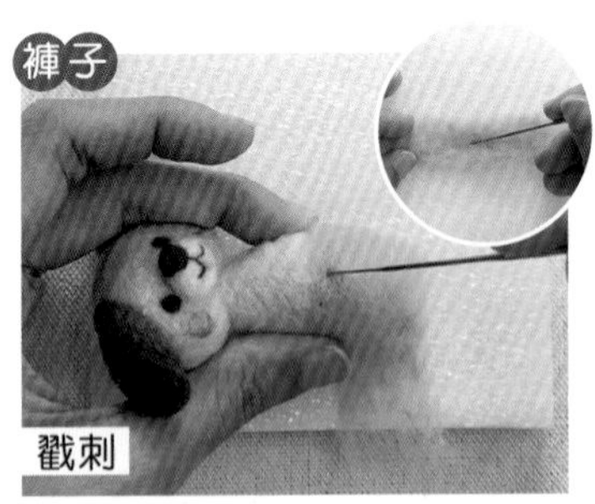

19 取少量橘色羊毛，鋪平約略氈化成薄片後，包覆肚子一圈戳刺接合

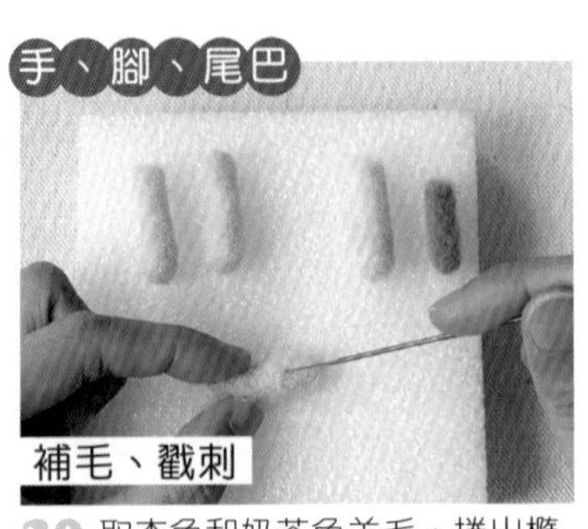

20 取杏色和奶茶色羊毛，捲出橢圓形，再以深針戳刺塑形

Tips：接合邊須預留鬆鬆的活毛

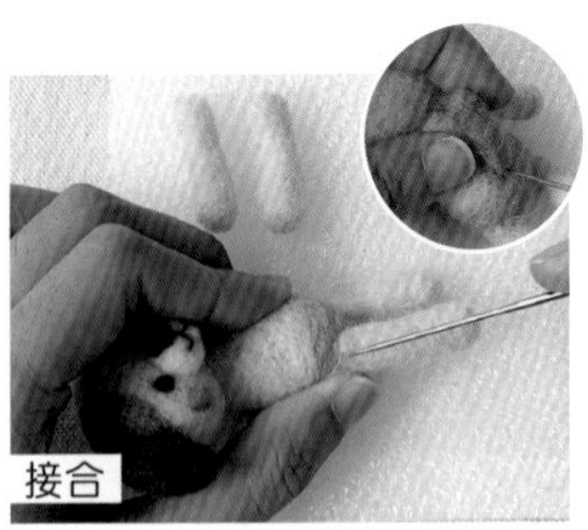

21 以斜針依序接合手、腳、尾巴

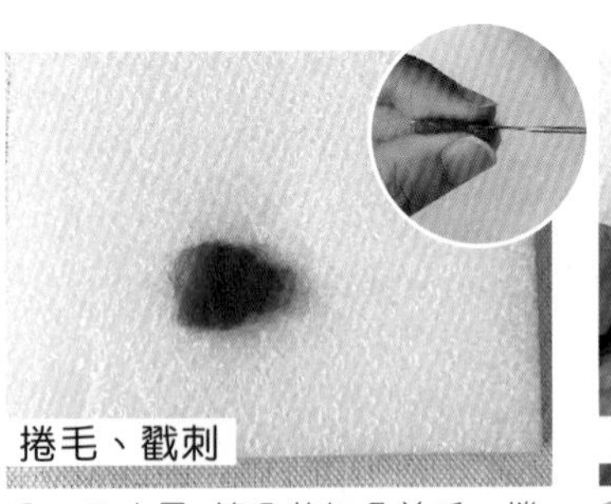

1 取少量2等分莓紅色羊毛，捲出橢圓形後，在工作墊上戳刺修整出三角形

Tips：物件較小可用手捏住，修飾側邊形狀和厚度

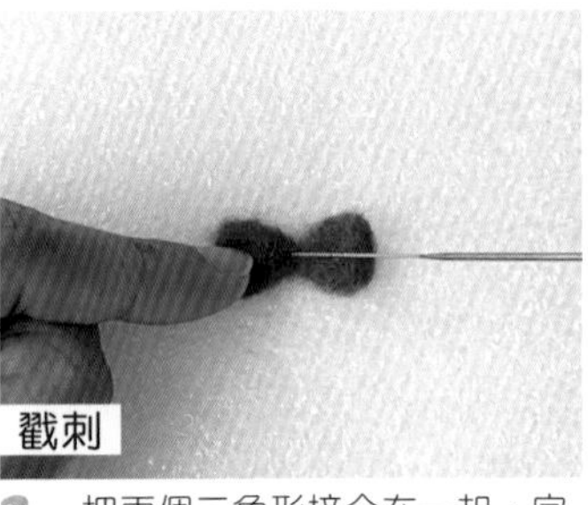

2 把兩個三角形接合在一起，完成蝴蝶結

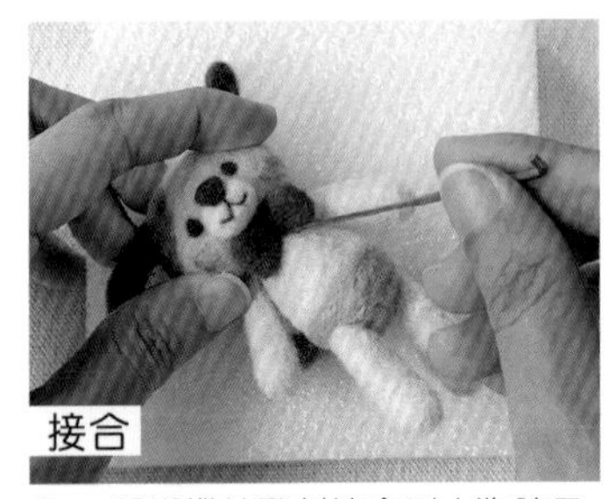

3 將蝴蝶結戳刺接合到小狗脖子

Tips：也可用保麗龍膠直接黏上

4 可愛的汪星人完成

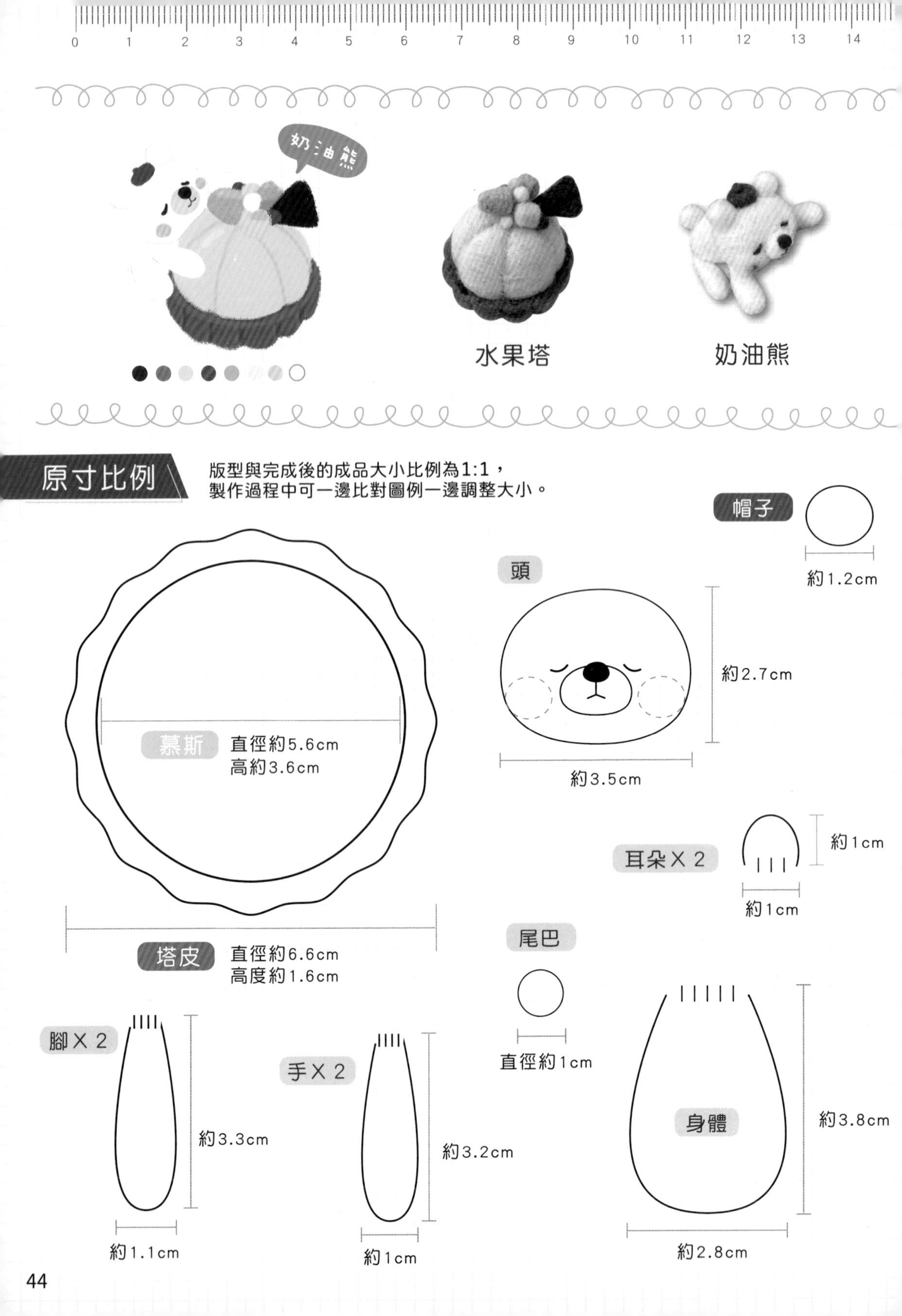
0
1
2
3
4
5
6
7
8
9
10
11
12
13
14
奶油熊
水果塔
奶油熊
原寸比例
版型與完成後的成品大小比例為1:1，
製作過程中可一邊比對圖例一邊調整大小。
帽子
約1.2cm
頭
約2.7cm
約3.5cm
慕斯
直徑約5.6cm
高約3.6cm
耳朵X 2
約1cm
約1cm
塔皮
直徑約6.6cm
高度約1.6cm
尾巴
直徑約1cm
腳X 2
約3.3cm
約1.1cm
手X 2
約3.2cm
約1cm
身體
約3.8cm
約2.8cm

17 18 19 20 21 22 23 24 25 26 27 28 29 30

（羊毛長度測量尺）

完整影片教學

跟著步驟一步步完成吧！

(完成尺寸因個人力道不同而有所差異)
(製作前，建議先將毛量依部位分配好，戳起來會更順手呦！)

塔皮

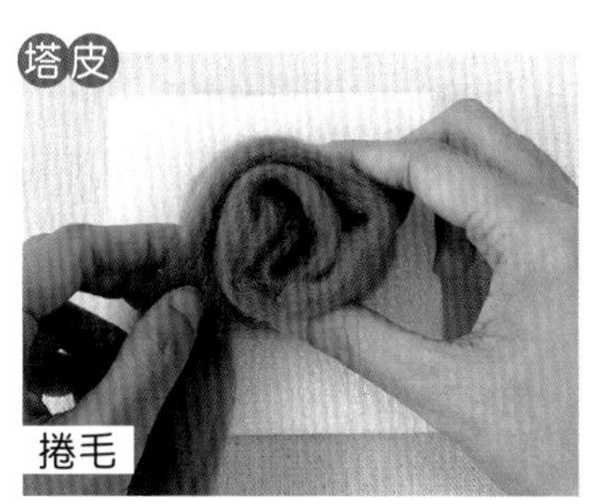

1 取咖啡色羊毛，捲出直徑約7cm的螺旋狀

Tips：輕輕捲，不要捲太緊，保留蓬鬆感。須預留一些咖啡色羊毛，做補毛修飾用

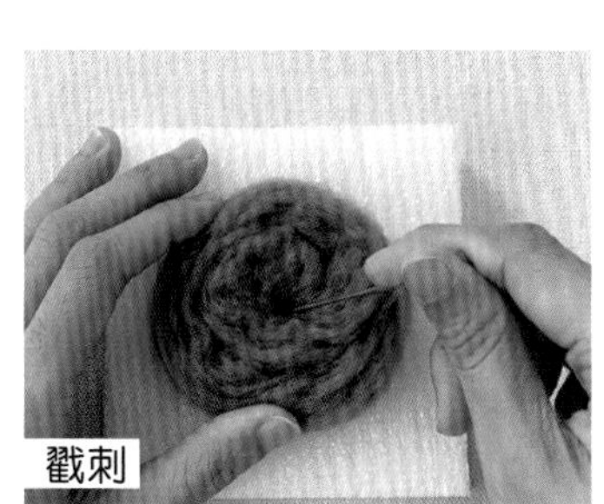

2 收合處先戳幾針固定，以深針戳刺塑形，每個面都要平均戳刺，形才會漂亮

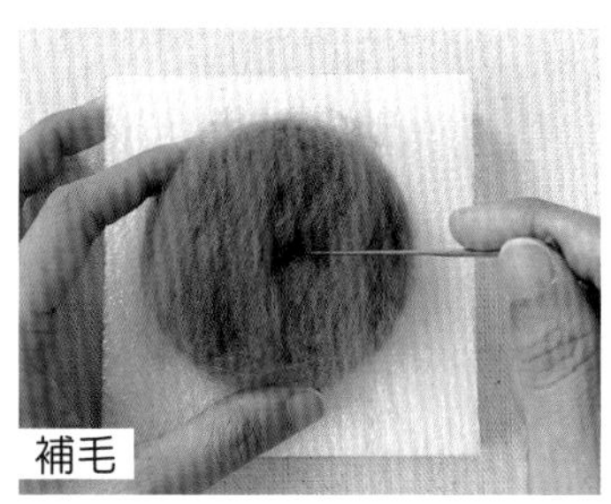

3 過程中可補毛增加厚度，戳至適當大小(請參考原寸比例圖)

Tips：維持表面氈化內部鬆軟

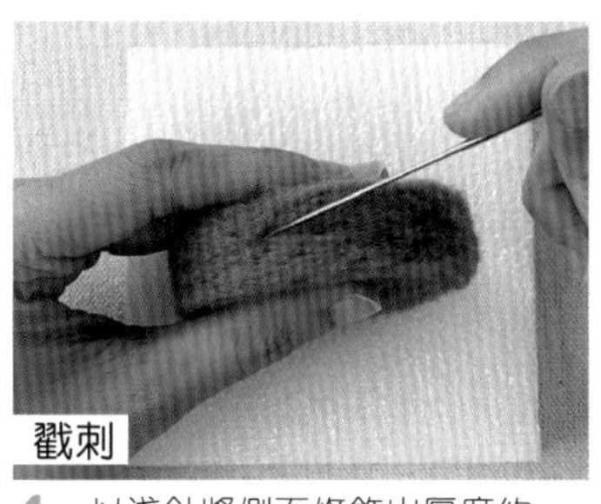

4 以淺針將側面修飾出厚度約1.6cm高的圓餅狀

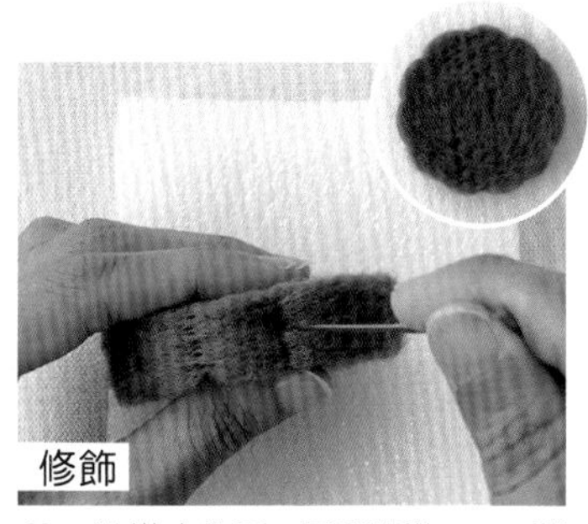

5 沿塔皮外圍一圈間隔約1.5cm戳出凹線，將塔皮修飾至表面氈化即可

慕斯

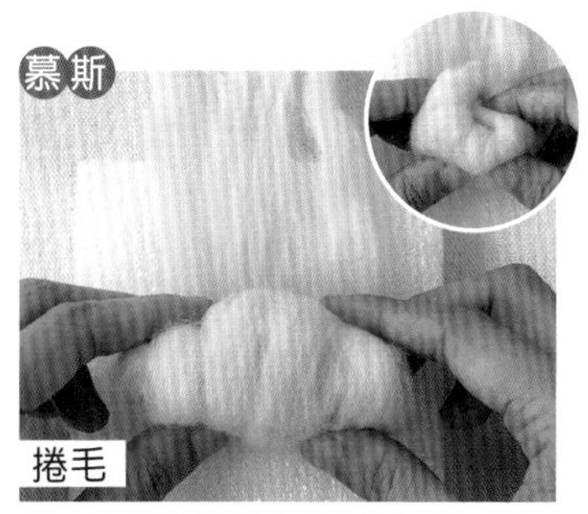

6 取綠色羊毛（須預留一些毛做補毛修飾用），邊捲邊將兩側往內收，捲出一個圓

Tips：不要捲太緊，保留蓬鬆感

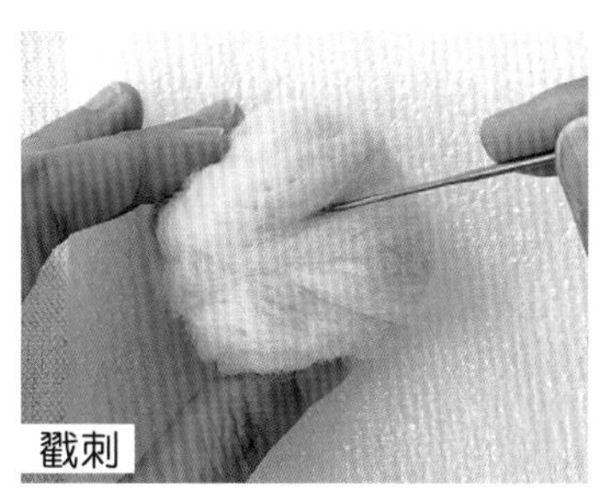

7 以深針戳刺，邊戳邊轉動羊毛約略氈化即可

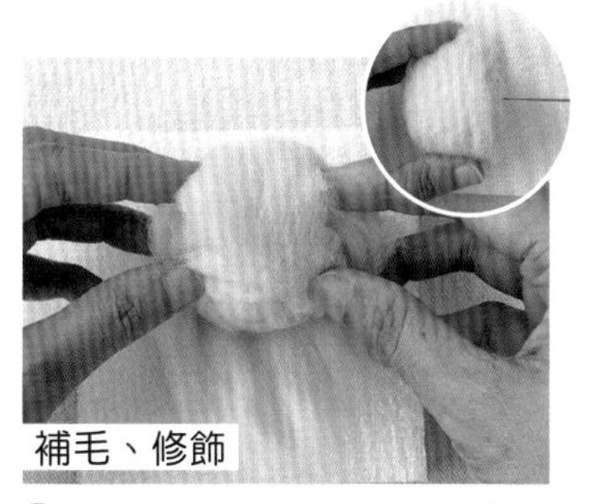

8 過程中都可陸續補毛，以淺針修飾戳至適當的大小，底部須戳出平面，成半圓形

Tips：維持表面氈化內部鬆軟的手感

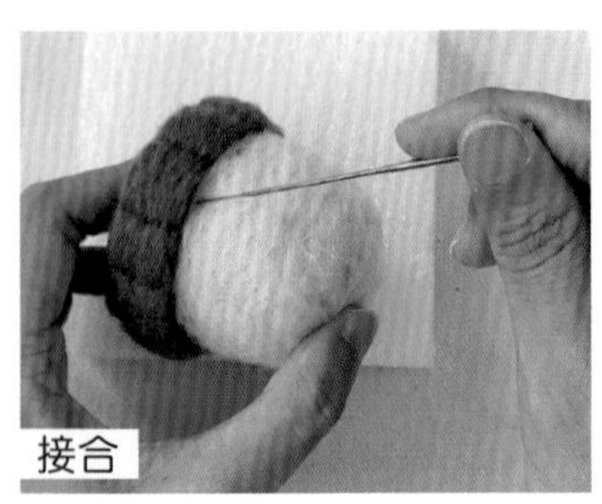

9 形狀出來後以斜針戳刺接合至塔皮上

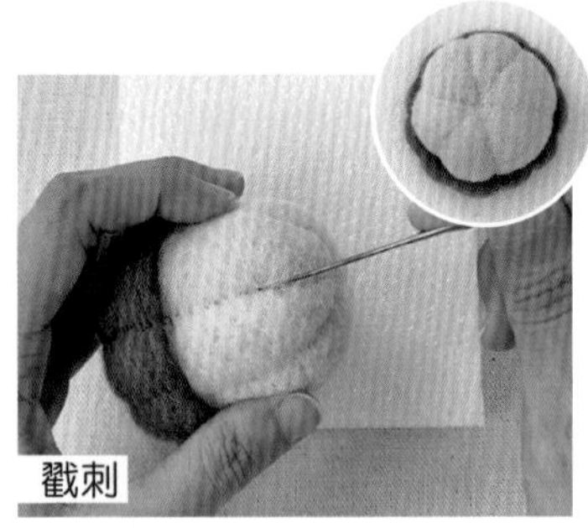

10 沿著半圓形戳出6等分凹線，整體修飾至表面氈化即可

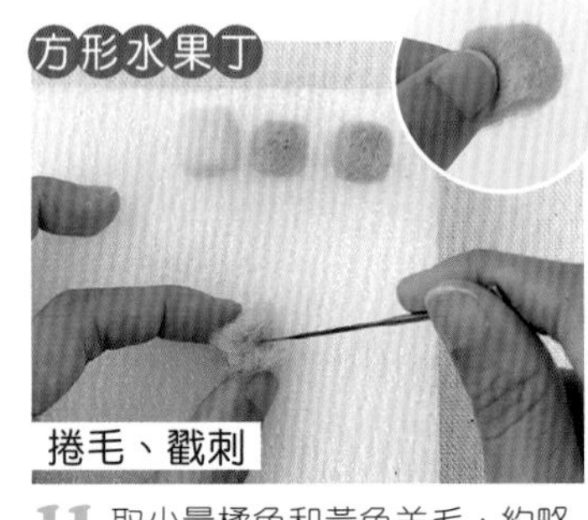

11 取少量橘色和黃色羊毛，約略摺出方形，依6個面戳刺，做出3～4顆大小不一的方塊

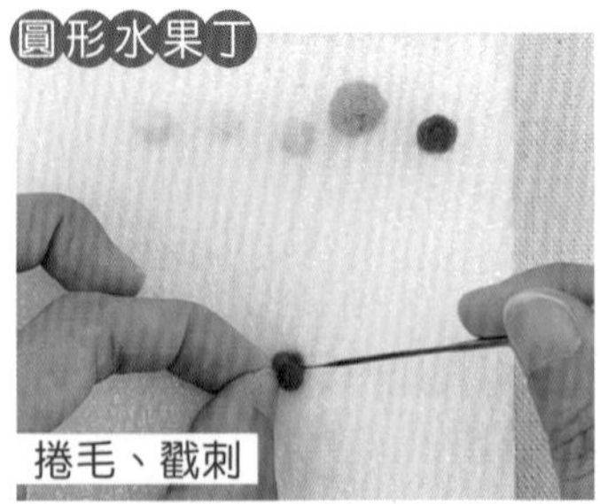

12 取微量白色、黃色和莓紅色羊毛，依序用指腹戳揉出小圓後戳刺氈化出5～6顆大小不一的小圓球

13 取少量咖啡色羊毛，摺成三角形後，戳刺修整出三角形片狀

Tips：物件較小可用手捏住，修飾側邊形狀和厚度

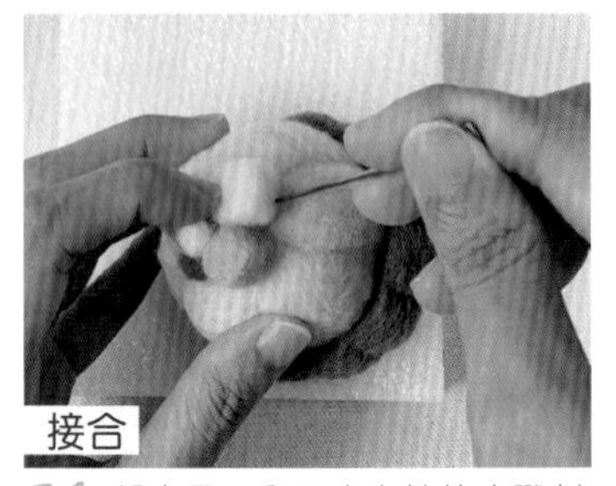

14 將水果丁和巧克力片依序戳刺到慕斯上（也可用保麗龍膠黏上去）

Tips：可自由安排位置

15 可愛的水果塔完成

頭部

捲毛

1 取白色羊毛，邊捲邊把兩側毛往內收，捲出橢圓形

Tips：毛捲緊一點，可加速氈化的時間，也較好預估氈化後作品大小

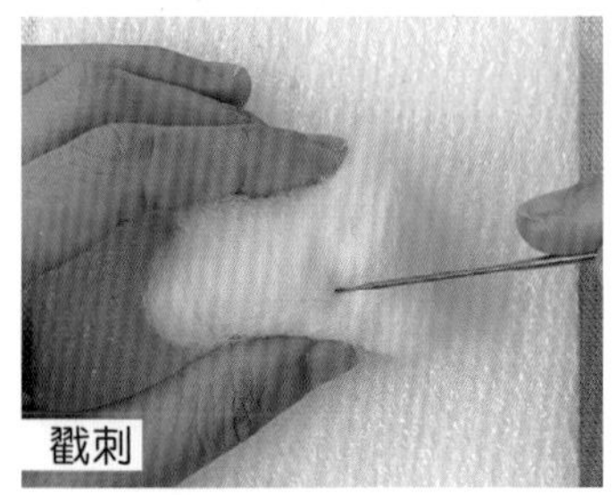

2 收合處先戳幾針固定，再以深針戳刺塑形，一手轉動羊毛一手戳刺，平均氈化

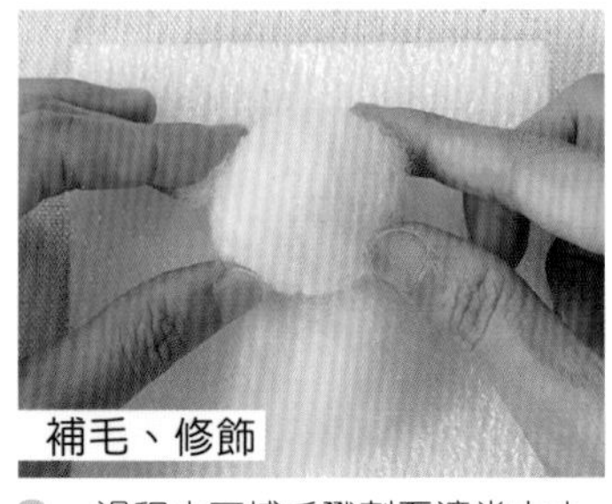

3 過程中可補毛戳刺至適當大小

Tips：頭部可以戳硬一點，五官戳上去才不會塌陷

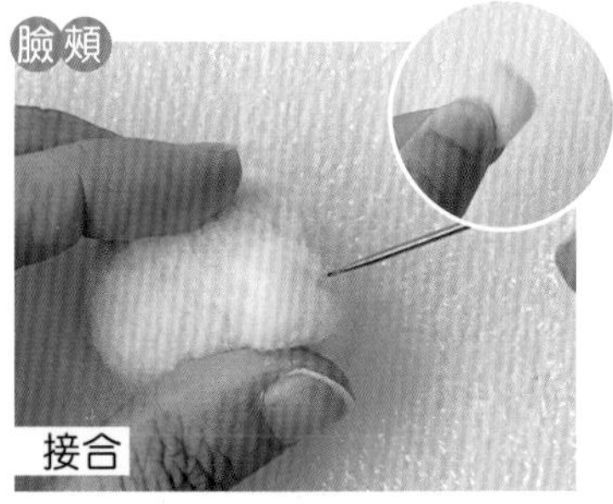

4 將2等分少量白色羊毛摺出方形，放在臉頰位置，以斜針戳刺做出兩側鼓鼓的臉頰

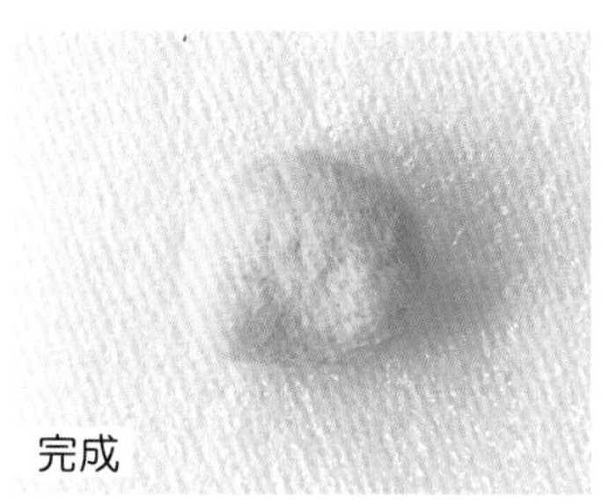

5 完成兩側臉頰

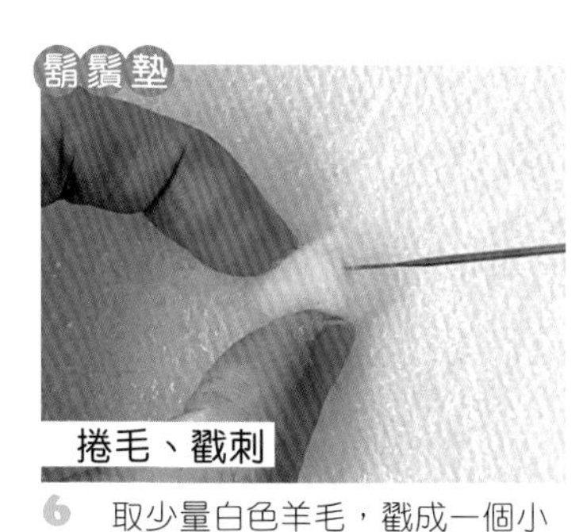

6 取少量白色羊毛，戳成一個小圓

Tips：鬍鬚墊可戳硬一點，鼻子、嘴巴戳上去才不會塌陷

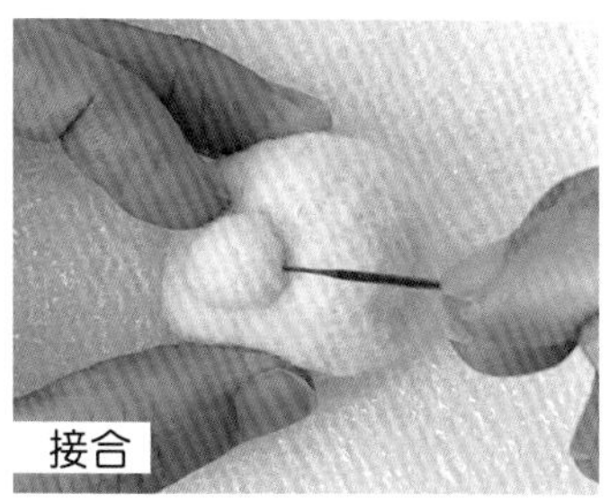

7 沿鬍鬚墊外圍以斜針戳刺接合

Tips：勿從上方戳刺接合，鬍鬚墊會扁掉

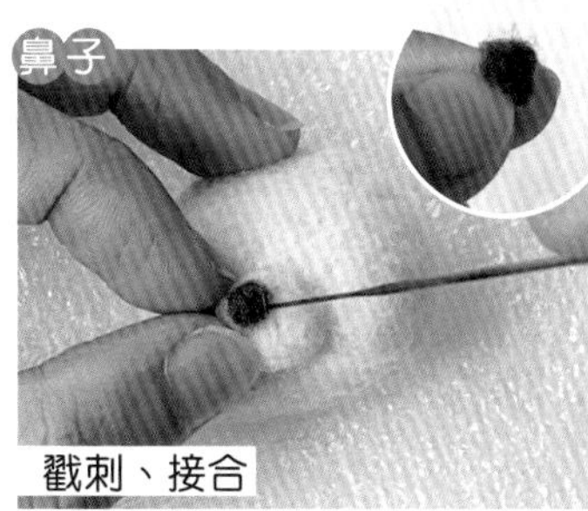

8 取微量咖啡色羊毛，用指腹搓揉成小球後，先戳幾針氈化，再以斜針戳在鼻子位置

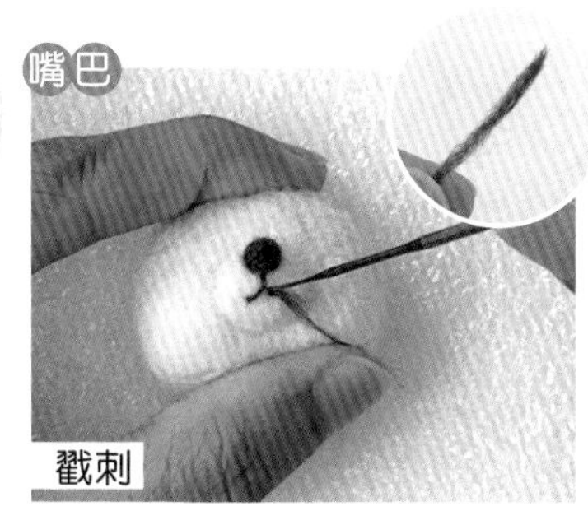

9 取微量咖啡色羊毛，搓揉成細線，從鼻子往下戳刺出嘴形，多餘的線用剪刀剪掉

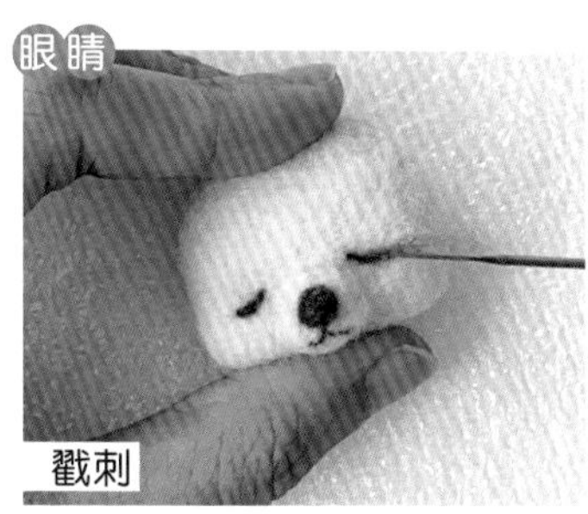

10 取微量咖啡色羊毛，同小熊步驟9嘴巴做法，完成兩側眼睛

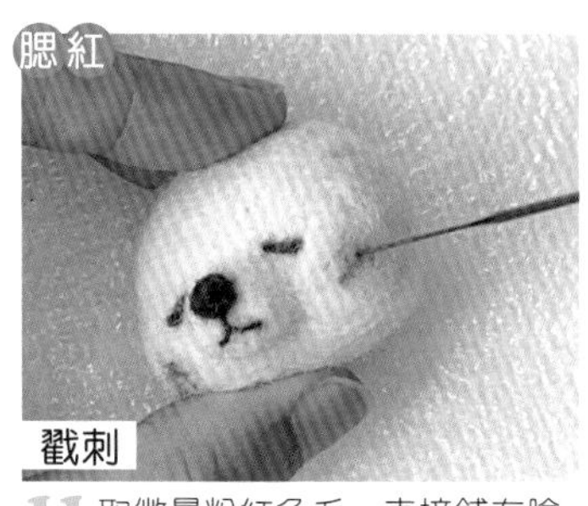

11 取微量粉紅色毛，直接鋪在臉頰上以淺針戳刺固定

Tips：可加一點莓紅色羊毛混和，腮紅顏色會更自然

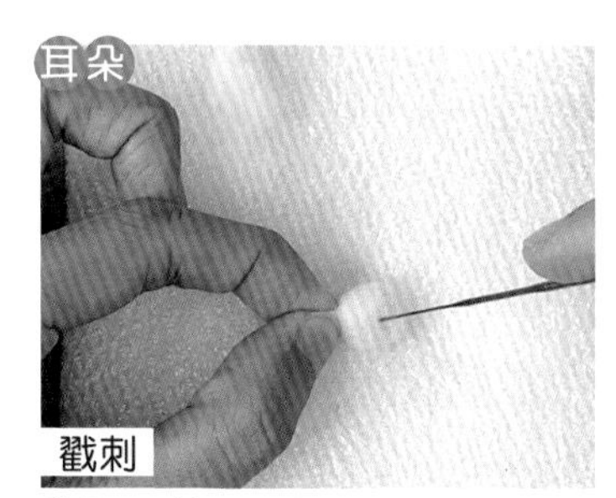

12 取2等分少量白色羊毛，捲出橢圓形後對摺，戳出2個半圓形，以深針戳刺氈化

Tips：接合邊須預留鬆鬆的活毛

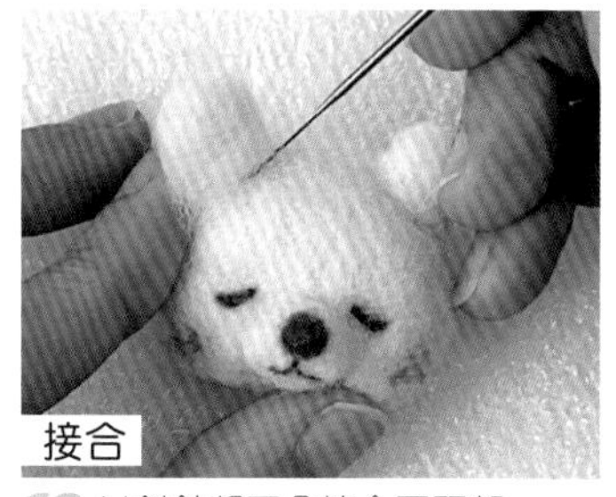

13 以斜針將耳朵接合至頭部

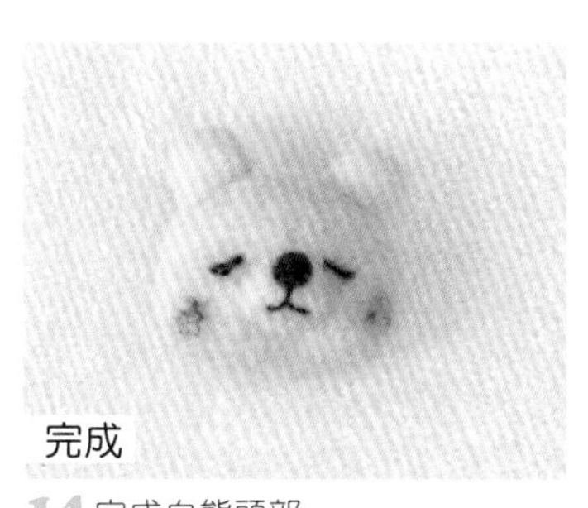

14 完成白熊頭部

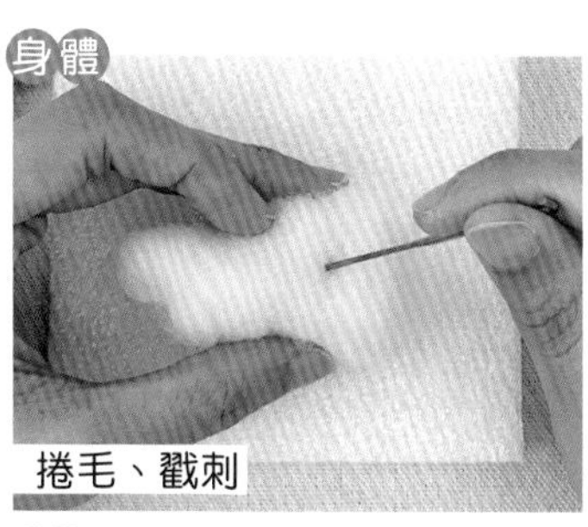

15 取白色羊毛，捲出橢圓形，再以深針塑形

Tips：接合邊須預留鬆鬆的活毛

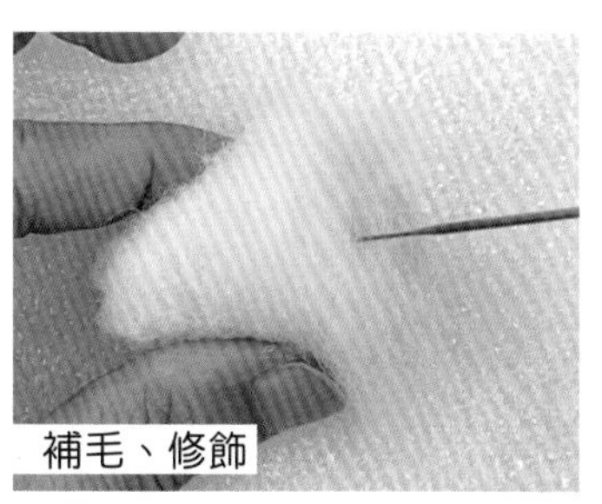

16 肚子部位可再包覆一層羊毛，以淺針修飾出圓鼓鼓的身體

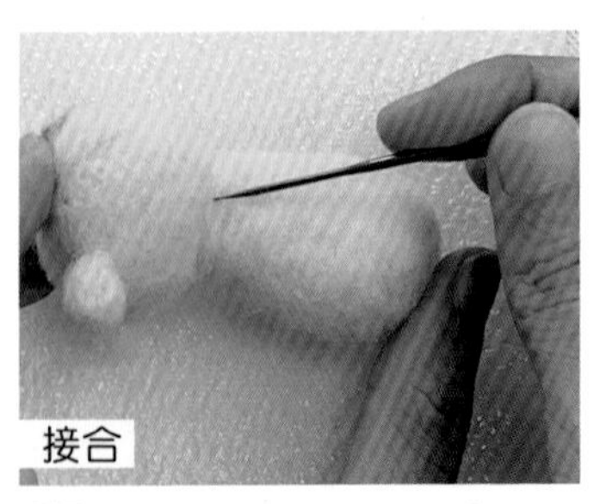

17 以斜針將身體和頭部接合，小熊是趴著的姿勢，身體須接在後腦勺和下巴平行

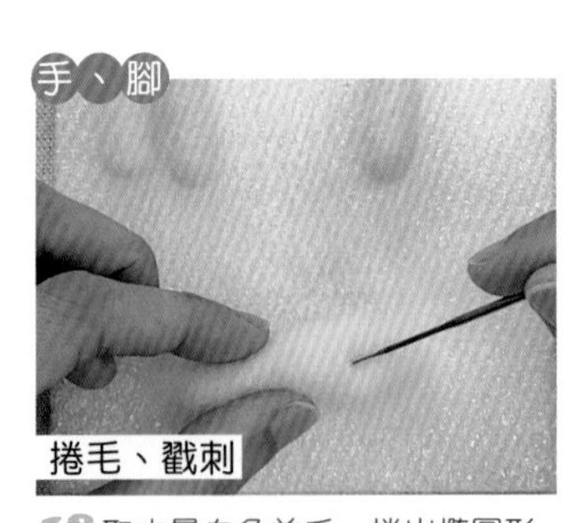

18 取少量白色羊毛，捲出橢圓形，再以深針塑形

Tips：接合邊須預留鬆鬆的活毛

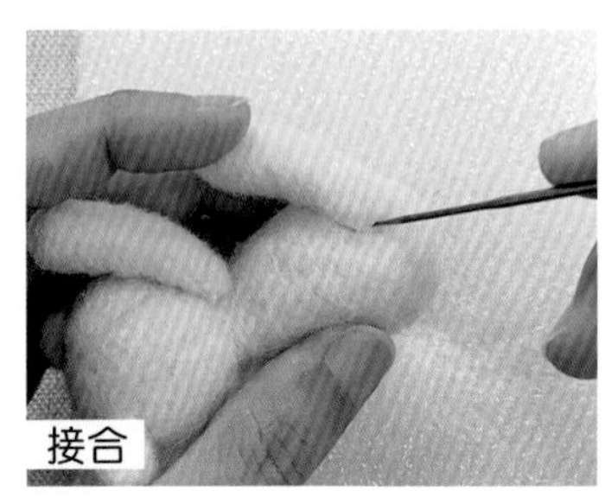

19 以斜針依序接合手、腳

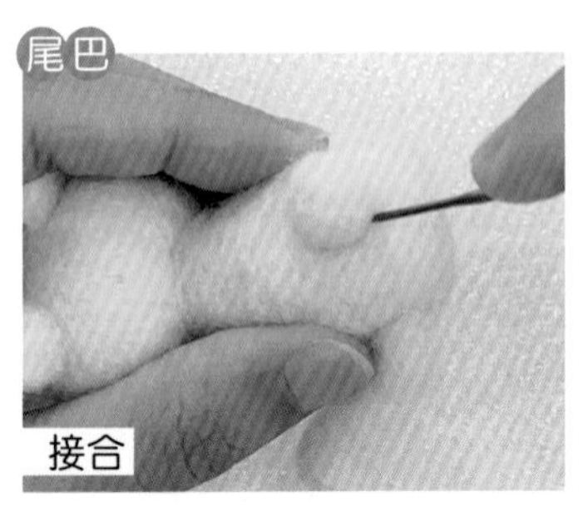

20 取少量白色羊毛，戳出小圓球後，以斜針接合至尾巴位置

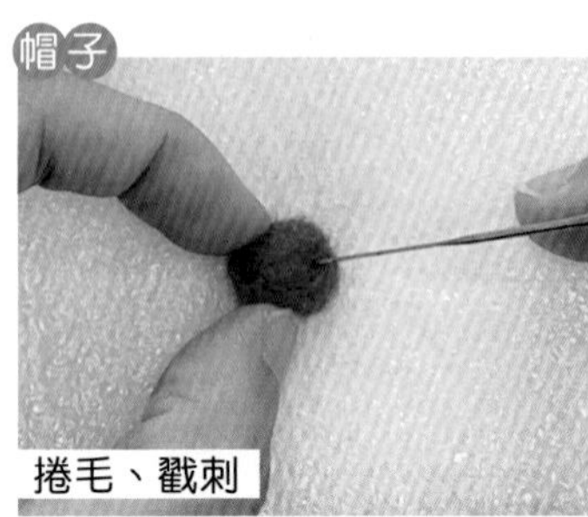

1 取少量莓紅色羊毛，約略摺出方形後，戳刺修整出帽子形狀

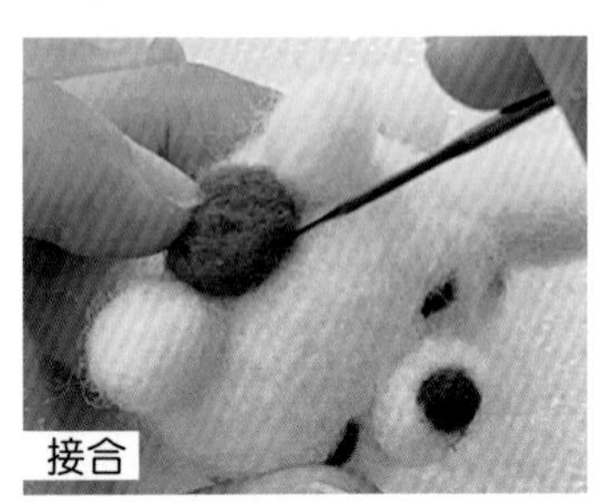

2 以斜針沿著帽緣一圈向下戳刺接合至小熊頭頂

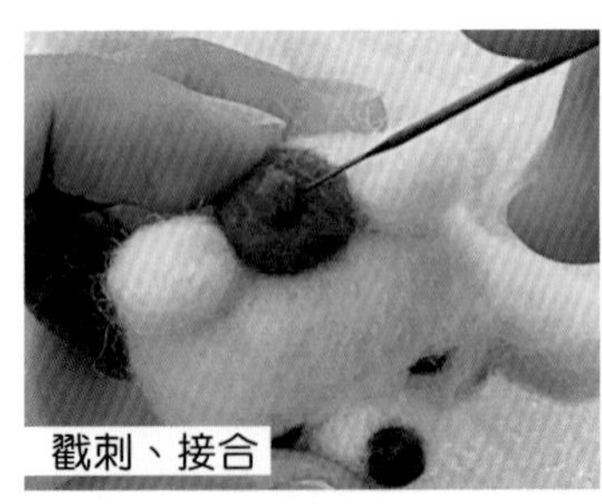

3 取微量莓紅色羊毛，搓揉成小球後，先戳幾針氈化，再以斜針戳入帽子頂端

4 可愛的小白熊完成

Chapter 4

呷甜甜過好日！幸福午茶時光

奶香牛角麵包、甜甜圈蛋糕、草莓蛋糕卷及慕斯水果塔，
為平凡的日子加點糖，傳遞甜在心的小確幸！

奶香牛角麵包 Croissant

材料
(此份材料可做14個)

中筋麵粉	350g
酵母粉	3g
鹽	2g
砂糖	30g
奶粉	17g
雞蛋	1顆
牛奶	157g
無鹽奶油	35g
白芝麻	些許

烤箱溫度
上下火各150℃，20分鐘

經典原味牛角麵包散發著濃郁奶香，吃起來的口感，外層香酥，內層Q軟，讓人欲罷不能，一吃就上癮！

1

盆中倒入麵粉、酵母粉、奶粉、鹽及糖。

2

加入雞蛋、牛奶後，把所有食材拌勻成棉絮狀。

3

再揉成一個光滑麵團。

4

將麵團放在揉麵板上，加入無鹽奶油，揉至奶油融入麵團中，大約揉10分鐘。

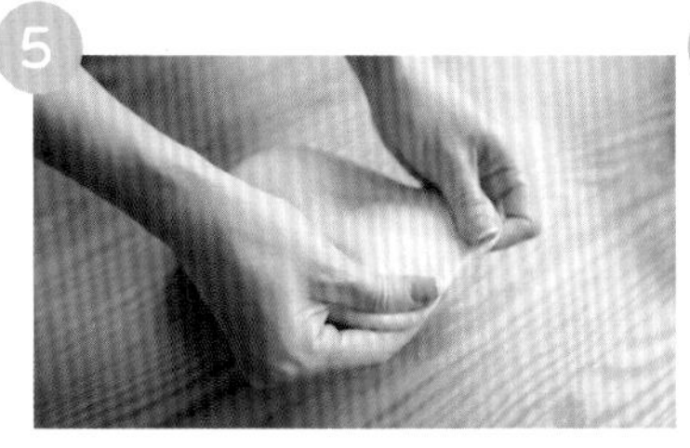

5 麵團拉開，會形成一層薄膜即完成。

6 將麵團揉成長條狀，切成14等分。

7 將麵團整型成圓球，再搓成水滴狀。

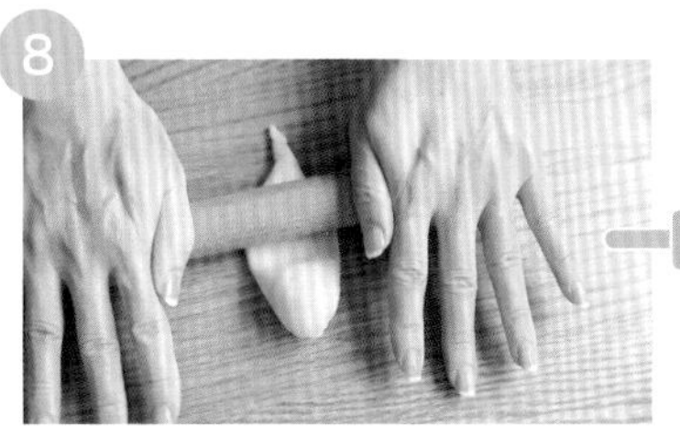

8 再用擀麵棍將麵團上下擀開，擀成薄片的水滴狀。

9 將薄片水滴狀麵團由上往下捲起來，完成牛角麵包的形狀。

10 捲好的牛角麵包放入烤箱中，用發酵模式（約40度）發酵變大1.5倍，約1小時。

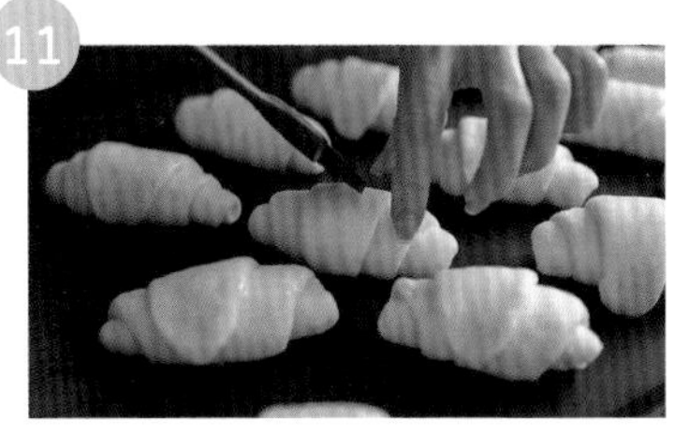

11 取出發酵好的牛角麵包，在麵團上刷上蛋液，撒上白芝麻。

12 將麵團放入預熱好的烤箱，上下火150度烤20分鐘，烤至表面金黃，出爐後放涼，即可享用。

食譜示範

草莓蛋糕卷

Strawberry Roll Cake

雙色的草莓蛋糕卷，包裹著一顆顆鮮嫩欲滴的草莓，搭配滑順香濃的鮮奶油內餡，口口都是幸福好滋味。

材料 RECIPE

草莓蛋糕麵糊

水（或牛奶）	40g
沙拉油	40g
砂糖	8g
低筋麵粉	62g
蛋黃	58g
草莓粉	5g
蛋白	150g
檸檬汁	1.6g
砂糖(打發用)	58g

香草蛋糕麵糊

水（或牛奶）	65g
沙拉油	65g
砂糖	15g
低筋麵粉	100g
蛋黃	90g
香草精	5g
蛋白	225g
檸檬汁	2.5g
砂糖(打發用)	90g

其他

動物鮮奶油　200g
新鮮草莓　約35顆

烤盤尺寸

42 X 34 X 3.5cm

烤箱溫度

上火210℃、下火150℃　10分鐘

上火180℃、下火150℃　8分鐘

蛋糕本體製作

1 將蛋白與蛋黃分開備用，注意蛋白中不能有一絲蛋黃混入，以免蛋白打發失敗。

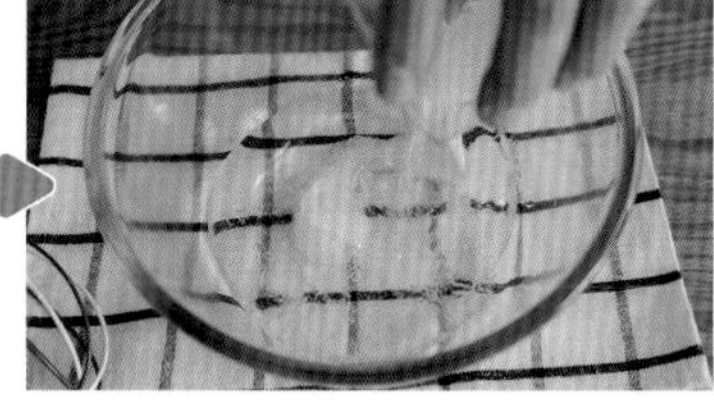

2 盆內先加水（或牛奶），倒入沙拉油拌勻後加入8g的糖。

3

倒入已過篩的低筋麵粉、蛋黃後拌勻。

4

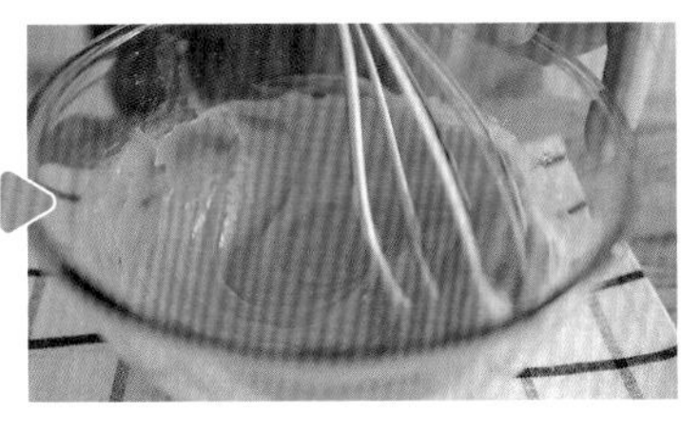

倒入草莓粉拌勻，完成草莓蛋黃糊，備用。

5

在缸盆內加入蛋白後，倒入檸檬汁（或白醋），可中和蛋白的鹼性，幫助蛋白打發。

6

先用中低速打發蛋白至有紋路後加入58g的糖，再打至濕性發泡，這樣的蛋糕會比較蓬鬆好吃。

7

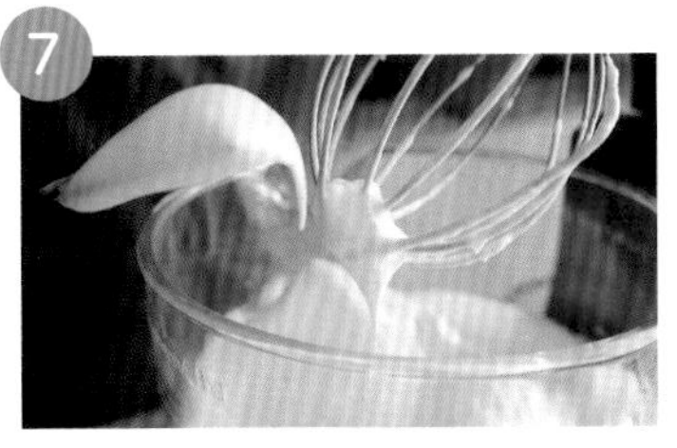

當蛋白霜進入濕性發泡時，攪拌時會留下紋路，拿起打蛋器，蛋白尖端會呈現大大的彎勾，容易晃動。

8

將草莓蛋黃糊倒入蛋白盆中拌勻。

9

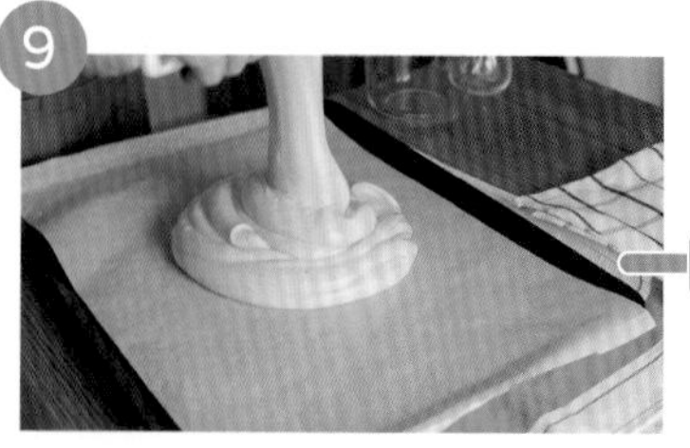

將拌好的草莓蛋糕糊倒入烤盤上，用刮板將蛋糕糊均勻抹平。

10

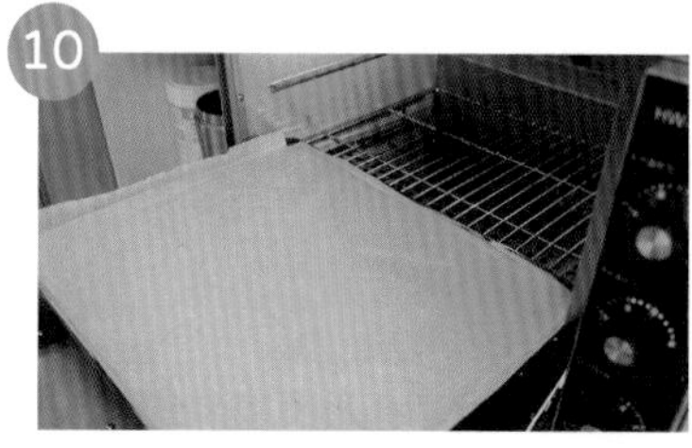

將蛋糕糊放入預熱好的烤箱，以上火210/下火150度烤10分鐘，再以180/150度烤8分鐘。

11

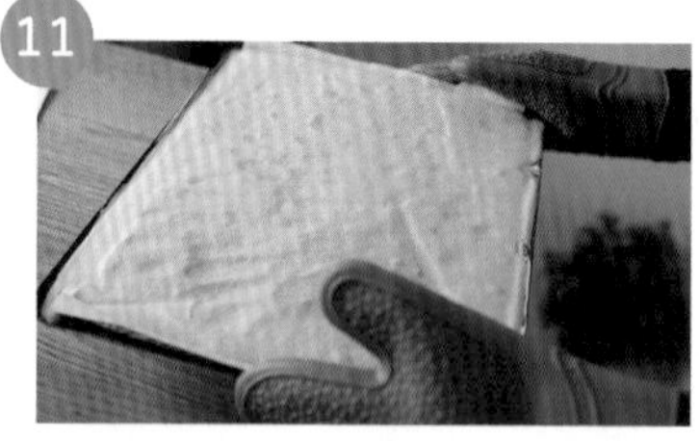

出爐後往桌面輕震烤盤，排出熱氣，取出蛋糕置於散熱架上放涼，烘焙紙先不用撕開。

12

接著製作香草蛋糕，作法同草莓蛋糕，只需將步驟4的草莓粉換成香草精即可。將香草蛋黃糊倒入蛋白盆中拌勻。

13

將拌好的香草蛋糕糊倒入烤盤上，用刮板將蛋糕糊均勻抹平。

14

放入預熱好的烤箱裡，做法同草莓蛋糕步驟10～11，出爐放涼。

鮮奶油內餡製作

1

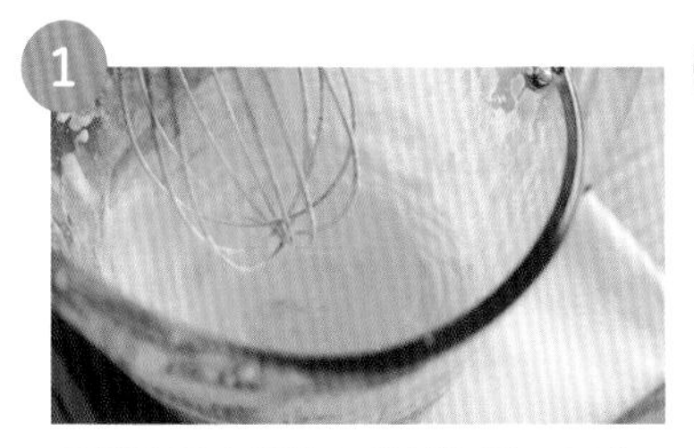

用攪拌器中低速打發鮮奶油，可在盆子底部放上冰水盆，打至呈現融化冰淇淋的質感，約七分發。

2

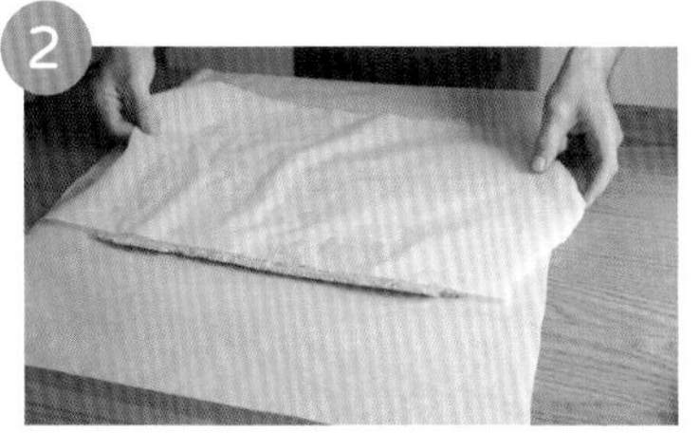

在桌上鋪上一張烘焙紙，大小需超過烤盤的尺寸，將草莓蛋糕正面朝下，鋪在烘焙紙上，再撕開蛋糕上的烘焙紙。

3

將鮮奶油塗抹在草莓蛋糕上。

4

覆蓋上香草蛋糕，再將奶油均勻抹在蛋糕上。

捲起蛋糕及裝飾

1

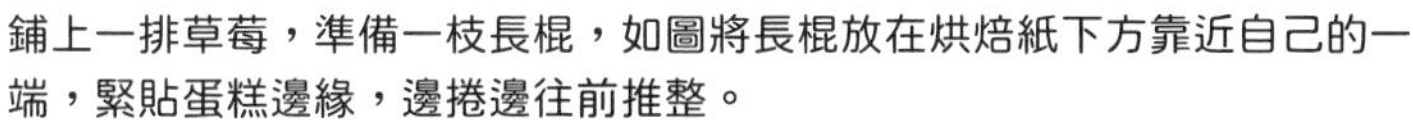

鋪上一排草莓，準備一枝長棍，如圖將長棍放在烘焙紙下方靠近自己的一端，緊貼蛋糕邊緣，邊捲邊往前推整。

2

捲的過程中，一定要將長棍移到蛋糕卷的前方，而非上方，否則蛋糕卷容易鬆開，捲不緊。

3

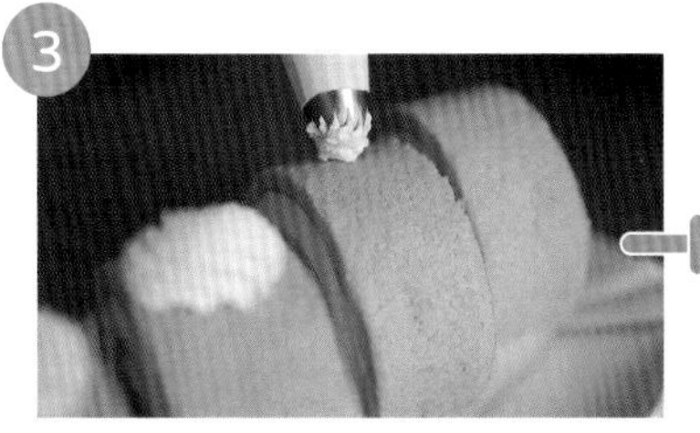

將捲好的草莓蛋糕切成片後，用擠花袋裝入打發的鮮奶油，裝飾上奶油與草莓、薄荷葉就完成囉！

食譜示範

蛋糕甜甜圈 Doughnut

不用炸的甜甜圈，用烤的簡單又美味，烤好的甜甜圈沾上甘納許，色彩繽紛又討喜，看了都好想咬一口～

材料 RECIPE

(此份材料可做6個)

麵糊

雞蛋	2顆
低筋麵粉	80g
泡打粉	2g
無鹽奶油	50g
牛奶	20g
砂糖	40g

白巧甘納許

白色鈕扣巧克力	100g
鮮奶油	30g

裝飾

藍色/粉紅色/咖啡色
食用色膏　適量

模型尺寸

直徑6.5公分/ 6吋模

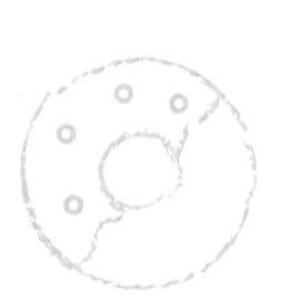

烤箱溫度

上下火各190℃，18～20分鐘

1 無鹽奶油隔水加熱融化後，刷一層在甜甜圈烤模上，防止沾黏。

2 在盆內加入雞蛋、糖拌勻。

3 加入無鹽奶油拌勻。

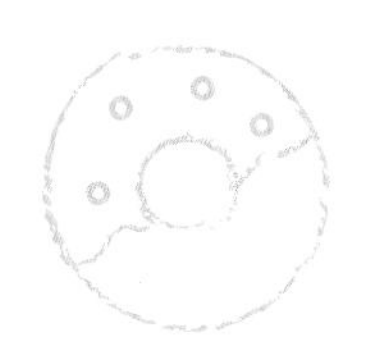

4

加入牛奶拌勻。

5

泡打粉、麵粉過篩後加入拌勻，完成麵糊。

6

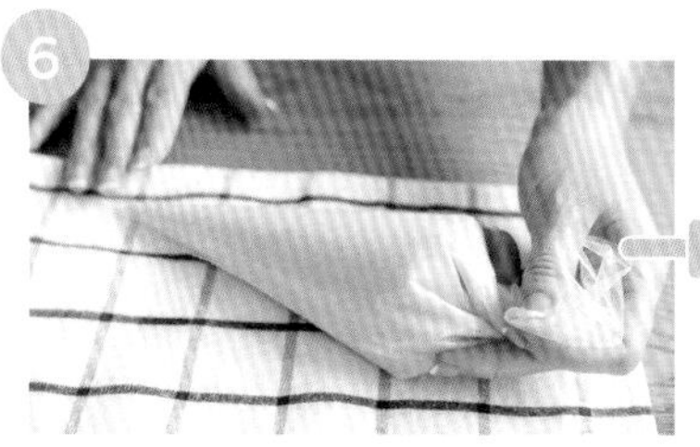

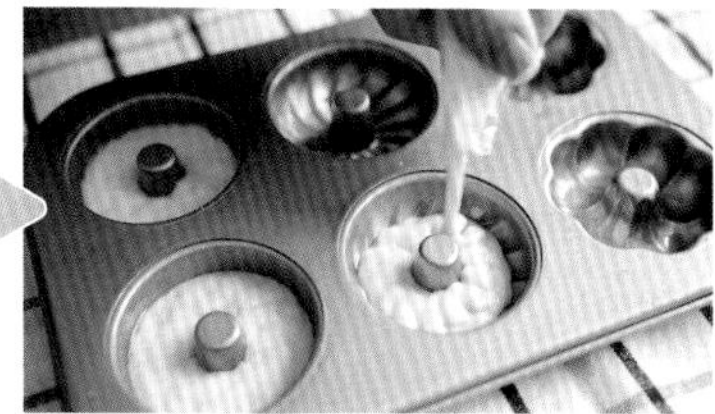

將麵糊裝入擠花袋內，填入甜甜圈模型約8分滿。

7

放入預熱好的烤箱190度烤20分鐘。

8

出爐後稍微放涼，即可倒扣脫模。

9

鮮奶油先隔水加熱，放涼至50度。

10

白色鈕扣巧克力隔水加熱，融化後加入鮮奶油拌勻，完成白巧甘納許。

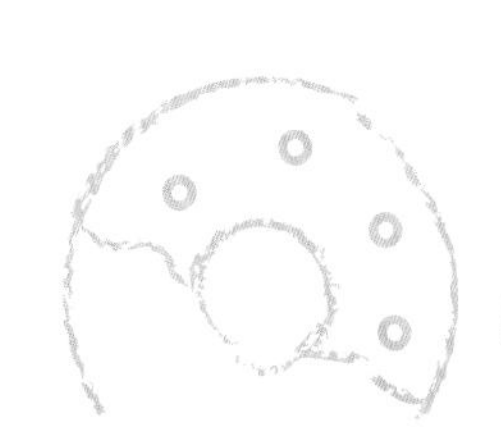

11

取80g的白巧甘納許加入藍色色膏拌勻。

12

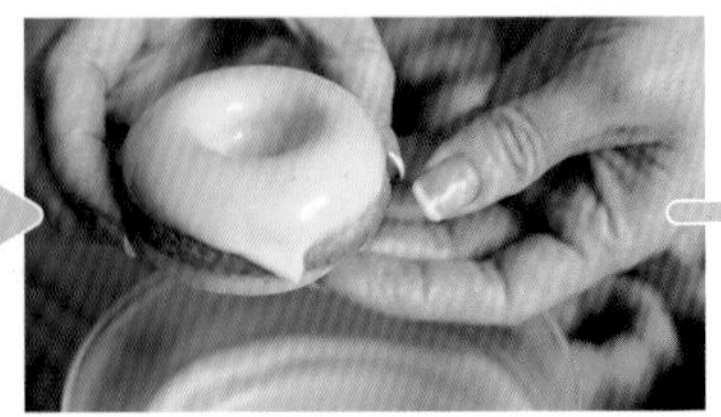

將甜甜圈沾上藍色甘納許。

13

依相同方法染色，分別點綴上白色、粉紅色(各20g)、咖啡色(10g)的甘納許，即完成。

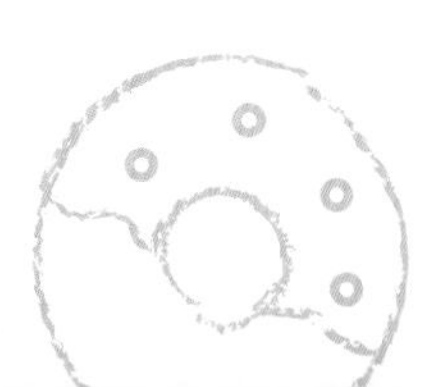

慕斯水果塔

Fruit tart

抹茶慕斯與杏仁奶油餡的完美結合，底部酥脆的塔皮，為這道甜點增添了豐富的層次感！

材料 RECIPE

(此份材料可做6個)

慕斯

牛奶	200g
蛋黃	20g
砂糖	20g
吉利丁粉	10g
水	55g
動物鮮奶油	250g
抹茶粉	10g

杏仁奶油餡

無鹽奶油	50g
砂糖	50g
全蛋	50g
杏仁粉	50g

塔皮

無鹽奶油	50g
糖粉	50g
蛋白	25g
高筋麵粉	50g
低筋麵粉	50g

裝飾

鏡面果膠	適量
水果	適量
巧克力	適量

模型尺寸

菊花塔模	直徑7公分
耐熱塑膠果凍模	直徑6公分

上下火各200℃，25分鐘

冷水55g加入吉利丁粉10克，拌勻備用。

砂糖與抹茶粉混合拌勻。

將蛋白與蛋黃分開。

4

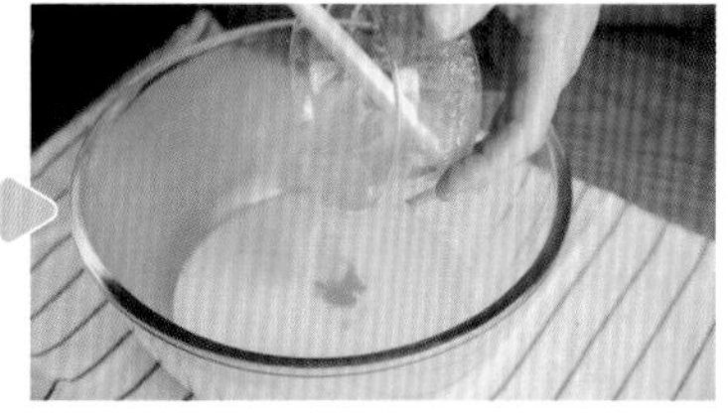

將牛奶隔水加熱至50度，倒入另一個盆中，再加入吉利丁拌勻。

5

將抹茶粉與砂糖倒入盆內拌勻。

6

加入蛋黃拌勻。

7

準備冰塊盆，將慕斯盆放在上方，進行降溫。

8

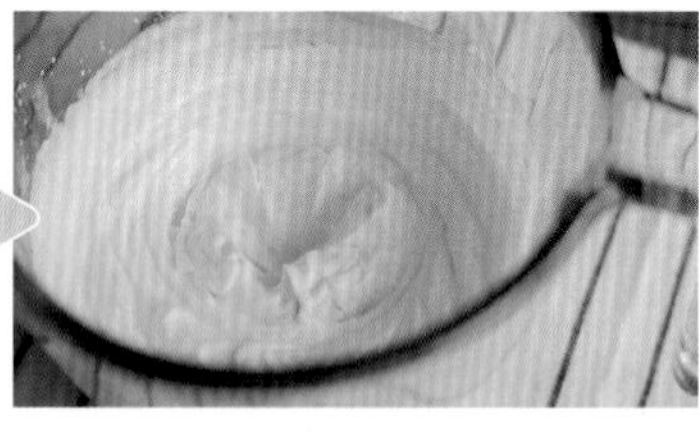

打發動物鮮奶油至六分發，呈現融化冰淇淋的質感，至有紋路或拿起攪拌器不滴落的狀態。

9

將打發的鮮奶油加入慕斯盆後拌勻。

10

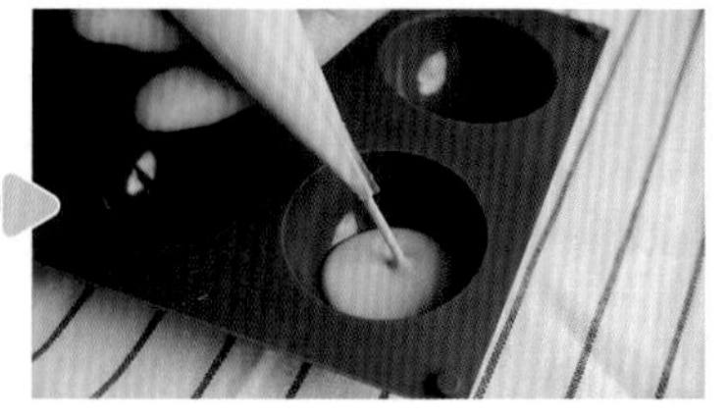

將慕斯糊裝入擠花袋，綁好後前端剪一個小洞，倒入模具中。

11

將灌好的慕斯球放入冰箱冷凍兩小時。

杏仁奶油餡製作

1

無鹽奶油切小塊後，加入砂糖用刮板以壓拌的方式拌勻。

2

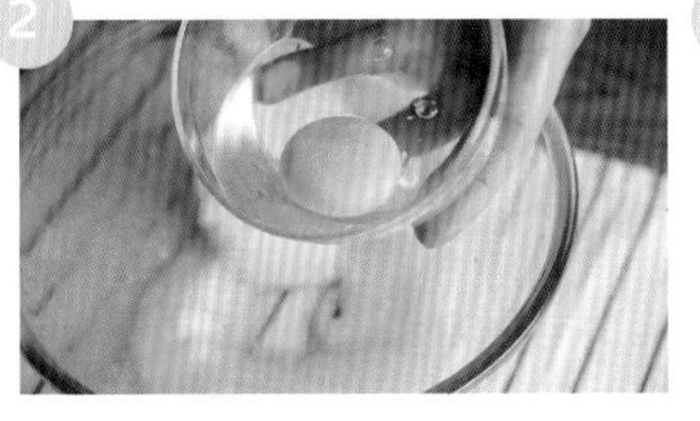

加入全蛋拌勻。

3

加入杏仁粉拌勻。

塔皮製作

1

無鹽奶油加入糖粉拌勻。

2

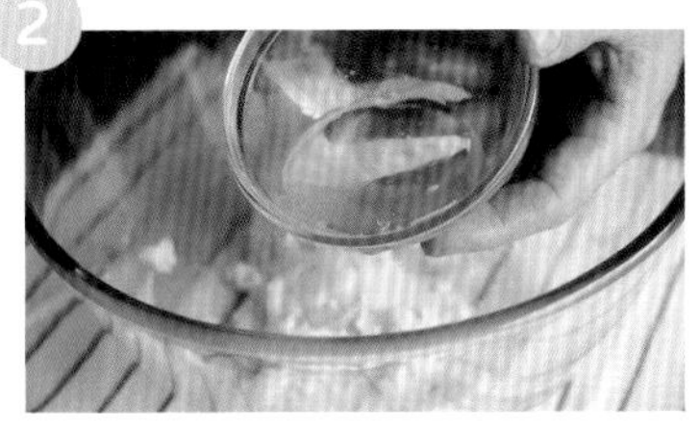

加入蛋白拌勻。

3

加入高筋、低筋麵粉用壓拌的方式至成團，才能做出鬆脆的塔皮。

4

在桌上撒些高筋麵粉，防止沾黏，再將塔皮麵團分成九等分。

5

將塔皮麵團沾些高筋麵粉，防止沾黏。

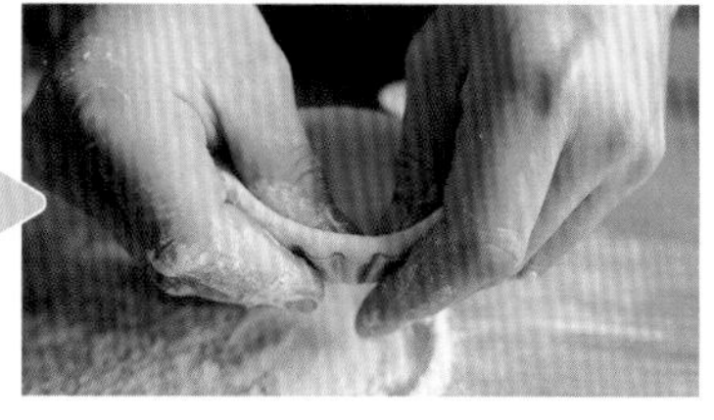

放入菊花塔模中捏至塑形，塔皮厚度約0.2～0.3公分。

再用刮板將多餘的塔皮切除，留意塔皮高度須高於塔模。

組合

將杏仁奶油餡裝入擠花袋，填入塔皮中約八分滿。

將杏仁奶油塔放入預熱好的烤箱以上下火200度烤25分鐘，出爐後冷卻脫模。

從冰箱取出慕斯球脫模。

鏡面果膠加一點水調開後隔水加熱，淋在慕斯球上，增加一層誘人的光澤。

再將慕斯球放在奶油塔上，放上喜歡的水果、巧克力加以裝飾，即完成。

傳遞手感溫度，戳出可愛治癒的羊毛氈

宅在甜點裡の羊毛氈Q萌小動物

淘氣貓角角的微笑牛角麵包

條碼 / 4710405003907
定價 / 380元
特價 / 299元

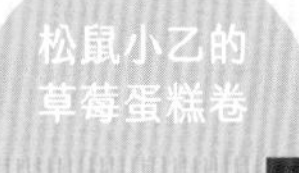

條碼 / 4710405003921
定價 / 380元
特價 / 299元

條碼 / 4710405003914
定價 / 380元
特價 / 299元

條碼 / 4710405003891
定價 / 380元
特價 / 299元

信仰聖地富士山（藍色）

條碼 / 4710405004584
定價 / 380元
特價 / 280元

財源滾滾招財貓（右手 招財）

條碼 / 4710405004959
定價 / 380元
特價 / 280元

好運長紅達摩君（紅色）

條碼 / 4710405004607
定價 / 380元
特價 / 280元

好運旺旺招財貓（左手 開運）

條碼 / 4710405004591
定價 / 380元
特價 / 280元

黃金萬兩達摩君（黃色）

條碼 / 4710405004966
定價 / 380元
特價 / 280元

可愛無法擋!宅在甜點裡の
羊毛氈Q萌小動物

作者：HobbyEasy手作日和

企劃編輯：許瑜珊

執行編輯：許瑜珊、林巧玲

造型設計：林子筠

美術設計：王筱彤、林子筠

羊毛氈拍攝教學：林子筠

食譜設計&拍攝：森夜甜點

剪輯後製：許瑜珊、林子筠

發行人：張英利

出版者：大風文創股份有限公司

地址：231台灣新北市新店區中正路499號4樓

電話：(02) 2218-0701

傳眞：(02) 2218-0704

官網：http://windwind.com.tw

E-Mail：rphsale@gmail.com

Facebook：大風文創粉絲團

http://www.facebook.com/windwindinternational

香港地區總經銷：豐達出版發行有限公司

電話：(852) 2172-6533

傳眞：(852) 2172-4355

地址：香港柴灣永泰道70號 柴灣工業城2期1805室

初版一刷：2022年10月

定價：280元

特價：199元

國家圖書館出版品預行編目資料（CIP）資料

可愛無法檔！宅在甜點裡の羊毛氈Q萌小動物/
HobbyEasy手作日和. --初版. -- 新北市：
大風文創股份有限公司, 2022.10
面；　公分

ISBN 978-626-95315-9-2（平裝）

1. CST：手工藝

426.7　　111003817